D0410877

Kaya wil winnen

—

GABY HAUPTMANN

Kaya wil winnen

Uitgeverij Ploegsma Amsterdam

Voor Jella, mijn lieve nichtje

'Gezond verstand is dat wat een paard ervan weerhoudt
om op mensen te wedden.'
Oscar Wilde

Kijk ook op:
www.ploegsma.nl

ISBN 978 90 216 6961 8 / NUR 283
Titel oorspronkelijke uitgave: *Kaya will nach vorn*
© Baumhaus Verlag, Frankfurt 2005
© Tekst: Gaby Hauptmann
Omslagontwerp: Karin Hauptmann
Omslagfoto: Reinhard Schmid
Foto's en illustraties binnenwerk: Stock.XCHNG
Typografie omslag: Nancy Koot
Vertaling: Suzanne Braam
© Deze uitgave: Uitgeverij Ploegsma bv, Amsterdam 2011

MIX
Papier van
verantwoorde herkomst
FSC
www.fsc.org
FSC® C004472

Uitgeverij Ploegsma drukt haar boeken op papier met het FSC-keurmerk.
Zo helpen we waardevolle oerbossen te behouden.

Flying Dream was al iets ronder geworden. Je kon merken dat hij nu geen manegepony meer was en het leven van een privépony leidde. 's Morgens werd hij op verzoek van zijn nieuwe eigenaar, meneer Waldmann, naar de wei gebracht, waar hij naar hartenlust lag te rollen of rond rende met de andere paarden. Hij smulde van de verse graspollen en werd pas uit de wei gehaald als Charlotte voor haar les kwam of Kaya met hem wilde trainen.

De dertienjarige Kaya reed al een paar jaar op Dreamy, zoals Flying Dream door iedereen werd genoemd. Hij was een donkerbruine pony met bijzonder mooie ogen. Kaya had met hem aan de Bodenmeer Classics Ponycup meegedaan en was bij de springwedstrijd van dit internationale concours als derde geëindigd. Dat had niemand van te voren verwacht, zijzelf het allerminst. Maar toen moest Dreamy opeens worden verkocht, omdat de pony met zijn twaalf jaar niet eeuwig als manegepaard kon blijven werken en ook omdat zijn marktwaarde door zijn derde prijs was gestegen. Kaya en haar vriendinnen hadden de pony daarna tijdens een spannende actie ontvoerd, omdat ze niet wilden dat hij wegging. Gelukkig was alles uiteindelijk toch goed gekomen. Meneer Waldmann had Dreamy gekocht voor Charlotte, zijn dochter van tien, en Kaya mocht gewoon doorgaan met hem trainen.

Het extra mooie voor Kaya aan deze zaak was Charlottes broer Chris. De vijftienjarige jongen had ook aan de Ponycup meegedaan, maar in tegenstelling tot Kaya had hij pech gehad. Hoewel hij op een betere pony reed, was bij de laatste hindernis een balk gevallen. Kaya vond Chris heel leuk. Ze hoopte dat hij ook verliefd op haar werd, maar hoe moest ze dat doen? Ze gooide alle trucs in de strijd die ze maar kon bedenken, maar geen enkele poging had tot nu toe succes gehad. Gelukkig was Kaya door Dreamy praktisch een deel van de familie geworden en Chris' vader reed hen zelfs met de paardentrailer naar allerlei wedstrijden toe.

Die dag was Kaya later dan normaal op de manege. Haar moeder had haar opgezadeld met een uurtje in de tuin werken en daar had Kaya een grondige hekel aan. Met de grasmaaier over het gras lopen was verschrikkelijk saai en het had ook nog eens weinig zin, omdat het gras binnen een week wéér gemaaid moest worden. Daarnaast vond ze het zonde van de madeliefjes die in het gras bloeiden. Moest ze die gewoon afmaaien? Ze deed het niet, maar reed er met de maaier omheen zodat het kleine gazon er uiteindelijk slechter uitzag dan daarvoor.

Kaya's moeder had alleen maar hoofdschuddend haar

wenkbrauwen opgetrokken en was daarna snel weer terug naar het restaurant gegaan. Het was hoogseizoen, de zonnestralen van de late nazomer hadden veel mensen voor koffie met gebak naar het terras gelokt. Kaya was blij dat haar moeder het zo druk had, want deze discussies waren altijd vreselijk en het was nog erger als Alexa, haar oudere zus, erbij kwam. Die vond dat ze sowieso altijd gelijk had, alleen maar omdat ze de oudste was.

Kaya liep regelrecht naar de wei. Minka, haar vriendin die een eigen pony had, was er ook al. Ze zat op de omheining en keek naar de paarden die met hun buik en schouders langs elkaar schuurden en de lastige vliegen wegjoegen door hard met hun staart te slaan.

'Hoi Minka,' zei Kaya. Ze hees zich naast haar vriendin op de bovenste balk. 'Wacht je al lang?'

'Maakt niks uit,' zei Minka. 'Ik vind het leuk om naar onze paardjes te kijken. Dreamy loopt lekker rond te slenteren en Luxy daagt hem steeds uit. Dan doet Dreamy even mee, maar algauw houdt hij het weer voor gezien. Hij vindt vast dat hij zijn krachten beter kan sparen voor iets anders!'

Kaya lachte.

Minka was bij de springwedstrijd met Luxury Illusion op de tweede plaats geëindigd, dus net vóór Kaya met Dreamy. Ze had een droom van een schimmel, die waanzinnig goed kon springen en daarbij ook nog eens heel goed luisterde. Maar Minka's vader had dan ook de tijd om met haar naar de beste instructeurs in de omgeving te gaan. Ze mocht korte cursussen volgen en hij bracht zijn dochter altijd naar elke wedstrijd.

9

Kaya's ouders daarentegen waren van 's morgens vroeg tot 's avonds laat aan het werk in hun restaurant. Kaya's moeder zorgde dat de gasten het naar hun zin hadden en bracht hun de gerechten die door Kaya's vader in de keuken werden bereid. Als ze al ooit een wedstrijd zagen, was het op camera. Minka's vader filmde Kaya namelijk ook wel eens.

Kaya's ouders hadden in de afgelopen jaren zo veel geld in het huis en het aangrenzende restaurant gestoken, dat er voor zo'n dure hobby als paardrijden niet veel meer overbleef. Toch was Kaya niet jaloers op Minka. Het was nu eenmaal zo. En dat de vader van Chris veel meer geld had was ook oké, want daarmee had hij Dreamy gekocht van de manege.

'Ga je vandaag nog rijden?' wilde Minka weten.

'Ja. Charlotte had vandaag geen tijd. Ze heeft nog uitgelegd waarom niet, maar dat ben ik vergeten.'

Minka zweeg. Ze tilde haar hoofd op en keek Kaya aan. 'Is Charlotte wel aardig?'

Kaya dacht even na. Charlotte was vaak aardig, ze bruiste van de energie en vrolijkheid, maar zodra er iets verkeerd ging, of niet helemaal liep zoals zij het wilde, sloeg haar humeur onmiddellijk om. Dan werd ze opeens kattig of barstte ze zelfs in tranen uit. Dan wist Kaya niet meer hoe ze moest reageren. Met medelijden? Geërgerd? Woedend? Troostend?

'Ze is wel oké.' Kaya aarzelde. 'Maar soms word ik een beetje moe van haar.'

Minka knikte en zweeg even. 'Als ik twee pony's had, gaf ik er een aan jou,' zei ze toen.

Kaya sloeg een arm om Minka's schouders. 'Jij bent een fantastische vriendin!'

'Ja, maar ik heb alleen maar Luxy!'

Kaya had Dreamy gezadeld, waarbij ze de zadelriem met moeite in het eerste gaatje kreeg. Hij had een dikke buik gekregen van al dat grazen.

Ze nam hem mee de binnenbak in, waar Claudia lesgaf. Claudia was niet alleen instructrice, maar samen met haar man ook de eigenaar van de manege. De binnenbak was klein maar modern, met ramen waar veel licht door naar binnen viel en aan de kopse kant een kleine kantine.

Dreamy leek een beetje moe. Of futloos, het hing ervan af hoe je het bekeek. Voor Kaya was hij gewoon lui. Het was haar ook duidelijk waarom. Hij was moe van het spelen in de wei met de andere paarden. Bovendien was het nogal warm.

Toch moest hij meedoen aan een uur dressuurles, wat voor hem waarschijnlijk net zo saai was als een uur Duits voor Kaya. Toen Dreamy de bak binnenkwam en geen enkele hindernis zag, was zijn belangstelling onmiddellijk verdwenen. 'Doe nou maar of je dressuur leuk vindt,' zei ze tegen de pony, terwijl ze in stap de eerste rondjes draaiden. 'Stel je voor dat je een pony was in klasse Z. Je had ongelooflijke gangen en zo'n sterke draf dat de mensen op de tribunes hun adem inhielden. En je had zo'n trotse houding dat elke Andalusiër zich achter je kon verbergen!'

Dreamy's oren stonden alert, maar op hetzelfde moment struikelde hij heel onhandig over zijn eigen benen.

'O jee!' zuchtte Kaya. Ze keek door de ramen in de kantine en zag hoe de deur openging en een grote man binnenkwam. Hij ging aan een van de tafeltjes zitten, met zijn gezicht naar de binnenbak. Kaya keek voor de zekerheid nog een keer, maar er was geen twijfel mogelijk: dat was meneer Waldmann, de eigenaar van Dreamy. Ze zuchtte nog een keer. Dat zal je altijd zien. Uitgerekend vandaag. Ze moest haar uiterste best gaan doen en hopelijk ging het dan goed.

Ze reden maar met zijn vieren in de bak. Minka op Luxy, Reni op een Noor die ze verzorgde en in ruil daarvoor vaak mocht rijden en Cindy op een kleine pony van de manege. De meisjes waren dik bevriend met elkaar. Alleen Fritzi ontbrak nog. Ze was met haar ouders op vakantie. Ze hadden gelukkig nog een hele week zomervakantie, voordat het gezwoeg op school weer begon.

'Zo, Wilde Amazones!' begon Claudia haar les en ze keek de meisjes stuk voor stuk aan. Ze noemde dit groepje meiden vaak voor de grap zo, maar natuurlijk vooral, omdat de meisjes zichzelf zo hadden genoemd tijdens de ontvoering van Dreamy.

'Oké, aandraven, dames!'

Dreamy bromde toen hij Kaya's teken voelde. Maar Kaya wilde een goede indruk maken. Ze lette op haar zit en op de hulpen die ze gaf. Ze probeerde Dreamy aan de teugel te rijden en leunde iets meer naar achteren, precies zoals Claudia het hun altijd had geleerd. In de loop van het lesuur verdween Dreamy's mopperbui en werkte hij lekker mee. Hij was slim genoeg om te weten dat tegen het einde van het uur het aantal te verdelen lekkernijen en wortels besproken werd. Dus deed hij zijn best. Vlak

voor het einde van de les stak hij in gestrekte draf diagonaal de bak over, gooide zijn voorbenen met een zwaai
de lucht in en ging zo vastbesloten te werk, dat Kaya dacht
dat ze droomde. Wat was er met hem aan de hand? Ook
de anderen waren stomverbaasd.

Claudia stak haar hand op richting kantine. Aha, dacht
Kaya, ze wist dus dat Waldmann zou komen en daarom
heeft ze me van tevoren ook gevraagd Dreamy zorgvul-
dig te poetsen. Ze had zich wel even beledigd gevoeld,
maar achteraf was het toch wel goed geweest. Anders zou
ze het vandaag na het intermezzo in de wei zeker niet zo
nauw hebben genomen met het poetsen van Dreamy.

Toen het lesuur om was, kwam Minka naast Kaya rijden en zei verbaasd: 'Hé, misschien is Dreamy niet alleen
maar een springpony, maar kan hij ook iets van dressuur?'
Kaya moest lachen. 'Als je bedenkt dat hij in het begin
van de les nauwelijks de ene voet voor de andere kreeg,
was hij echt geweldig! Niet te geloven!'

Ze gaf zachte klopjes op Dreamy's hals en genoot van
het moment. Er was haast niets mooiers dan na een goede les je pony een lange teugel te geven en gezellig pra-
tend in stap met vriendinnen rond te rijden. Dreamy
zweette. Kaya snoof zijn lucht op en was gelukkig.

'Meneer Waldmann zit toch in de kantine, of vergis ik
me?' vroeg Reni die zich met haar Noor bij hen had ge-
voegd. 'Hij komt vast niet alleen maar voor de gezellig-
heid, of wel, Kaya?'

Kaya keek vluchtig naar de ramen van de kantine.
Meneer Waldmann kwam vast en zeker kijken hoe goed
zij met Dreamy presteerde, want over twee weken was er

een wedstrijd waaraan Charlotte voor het eerst mee zou doen.

'Wat denk jij?' wilde Kaya weten.

'Hij is een zakenman,' antwoordde Reni. 'Hij komt dus waarschijnlijk niet alleen maar om een praatje te maken!'

Kaya dacht na en moest Reni gelijk geven. Sinds meneer Waldmann Dreamy had gekocht, was hij pas twee keer in de manege geweest. Een keer om te zien hoe het lesuur springen verliep en hoe Kaya met Dreamy omging, en daarna nog een keer toen Charlotte voor het eerst met hem sprong.

Maar een dressuurles, en dan ook nog een heel gewone les zonder speciale instructeur of wat ook? Dat was vreemd.

'Klopt!' zei Kaya. 'Hij komt zeker niet voor alleen een praatje!'

Nadat Kaya Dreamy had verzorgd, keek ze op de parkeerplaats. En ja, de dikke, zwarte BMW van meneer Waldmann stond er nog. De auto viel op. Dit was geen chique manege, geen uitgebreid complex. Doordat er in de loop van de jaren allerlei schuren en stallen waren aangebouwd, was de grootte wel verdrievoudigd, maar toch. Hier stonden op de parkeerplaats meestal kleine, onopvallende auto's die moesten kunnen rijden en meer niet.

Kaya liep de binnenbak weer in en gluurde opnieuw door een raam van de kantine. Daar zat hij achter een glas wijn dat Claudia zeker voor hem had ingeschonken. Ze proostten net met elkaar.

Ze tikte op het raam. Meneer Waldmann keek even

op, herkende haar en gebaarde dat ze binnen moest komen. Dat deed ze. Voorzichtig glimlachend ging ze naar hem toe. Hij gaf haar een hand. 'Jij doet het fantastisch,' zei hij.

Ze was blij met het compliment, hoewel ze wist dat haar uitstekende finish van daarnet uitsluitend aan Dreamy te danken was. De pony hing graag een beetje de clown uit, maar had hun allemaal kort laten zien wat hij werkelijk zou kunnen presteren, als hij maar wilde.

'Dank u wel,' zei ze zachtjes en ze hield haar gedachten voor zich.

Meneer Waldmann was een grote man met brede schouders. Hij leek iets ouder dan Kaya's vader, maar het was heel goed mogelijk dat dit niet zo was. Misschien lag het aan de pakken die hij altijd droeg en waarbij hij de afschuwelijkste stropdassen koos, alsof hij voortdurend op zakenreis was.

'Ga zitten,' zei hij. Claudia glimlachte naar Kaya, wat haar een beetje wantrouwig maakte. Hadden die twee iets bedacht?

'Je kent toch mijn zoon,' begon meneer Waldmann. Haar hart sloeg een slag over. Ze had Chris meer dan een week niet gezien. En dat leek, zo verliefd als ze op hem was, echt een eeuw geleden.

Ze knikte.

'Hij is al een week met mijn vrouw op reis door Duitsland, pony's aan het bekijken.'

Ze knikte weer, want ze kreeg geen woord over haar lippen. Haar hart bonkte in haar keel. Wat betekende dat? Wilden ze Dreamy misschien inruilen, hem weer verkopen? Dat zou, na alles wat er intussen was gebeurd, een regelrechte ramp zijn!

'En nu hebben ze in een africhtingsstal een pony gevonden. Chris is er erg enthousiast over,' ging zijn vader verder.

Een andere pony! Kaya was verbaasd, maar haalde tegelijkertijd opgelucht adem en kon weer praten: 'En zijn merrie?'

'Dat is een uitstekend beest, maar zoals je weet mag hij over twee jaar niet meer met een pony aan de start verschijnen. Dus wil hij voor die laatste periode zo verschrikkelijk graag een echte knaller!'

Zo, dus Chris wil een echte knaller, dacht Kaya. En zijn ouders rijden gewoon met hem het hele land door en trekken hun portemonnee wel. Het is ongelijk verdeeld in de wereld. Ja toch?

Ze knikte opnieuw.

'De pony die hij heeft gevonden, heeft tijdens de Europese kampioenschappen al prijzen in de wacht gesleept.'

Kaya slikte. Die pony moest bijna onbetaalbaar zijn. 'En waarom wordt hij dan verkocht?' wilde ze weten.

'Omdat het meisje dat hem rijdt zeventien is geworden. Ze mag dus niet meer met een pony aan de start verschijnen en moet de overstap maken naar een paard.'

Zo gemakkelijk ging dat dus. Werd je zeventien dan werden de pony's weggedaan, afgedankt als oude fietsen. Wie wil hem hebben? Wie biedt er meer? Weg ermee! Ze dacht aan Dreamy en zijn mooie, mysterieuze ogen...

'Chris denkt dat hij een goede doorstart met die pony zou kunnen maken,' ging meneer Waldmann verder.

16

Was een getalenteerd, gewillig paard eigenlijk niet een zielig paard? Het werd doorverkocht, zolang het goed was – en wat dan? Dan hadden de paarden en pony's met middelmatige prestaties het beter. Die hadden minder succes, maar ze kregen in ruil daarvoor wel veel liefde.

'O ja?' zei ze, omdat het stil was en Claudia en meneer Waldmann haar gespannen aankeken. Had ze iets gemist?

'Maar hij zou graag een tweede oordeel over het dier willen hebben.'

Kaya keek hem aan, maar zei niets. Wat zou ze ook moeten zeggen?

'Meneer Waldmann bedoelt dus dat ze jou er ook een keer op willen zetten,' legde Claudia uit.

'Ik?' Kaya's mond werd kurkdroog. 'Op een pony die prijzen heeft gewonnen op de Europese kampioenschappen? Wat moet ik dan doen?'

Meneer Waldmann schoot in de lach. 'Rijden misschien?'

Kaya slikte. 'En hoe moet dat dan?'

Hij lachte weer. 'Zoals je het hebt geleerd!'

'Nee, ik bedoel, waarom? En waar? En eh…'

Nu lachten meneer Waldmann en Claudia allebei.

Ze moest wel een erg verwarde indruk maken.

'We vragen je ouders of het mag en dan rijd je met mij erheen en blijf je drie dagen bij ons. Tijd genoeg om de pony goed te leren kennen.'

Kaya wist niets te zeggen, zo ongelooflijk klonk het allemaal. Maar een ding wist ze wel: ze zou drie dagen met Chris samen zijn! Een pony die had meegedaan aan de Europese kampioenschappen was al prachtig, maar om dat samen met Chris te doen was helemaal super! Niet te geloven! Wisten zijn ouders wel wat ze deden?

Haar eigen ouders zag ze pas de volgende dag. Het was woensdag, de dag waarop het restaurant gesloten was. Ze ontbeten gezellig in de tuin. Bij wijze van uitzondering was ook Alexa erbij, haar zus van zeventien die zelf een uitstekende amazone was.

Alexa had na het behalen van haar eindexamen havo een pauze ingelast om bij haar oom te kunnen rijden. Nu deed ze vijf en zes vwo in één jaar. In de zomer moest ze haar eindexamen doen. Daarna ging ze studeren. Ze wilde later een goedbetaalde baan, zodat ze een paar eigen paarden kon houden.

'Hé, kleintje,' zei Alexa, zodra ze haar lange benen onder de tafel had geschoven, 'hoe gaat ie? Valt er iets te vieren?'

Haar moeder keek met een vragend gezicht naar Kaya. 'Hoe bedoel je?'

'Hoe moet ik dat nou weten,' flapte Kaya er somber uit en daarbij wierp ze haar zus met half dichtgeknepen ogen een boze blik toe. 'Vraag het haar zelf maar, mam!'

Alexa vond dat ze Chris met een royaal gebaar aan haar zusje had afgestaan, maar ze wist niet eens dat de jongen nog steeds meer belangstelling had voor Alexa's cupmaat dan voor Kaya's hele lijf.

'Wat bedoelde je, Alexa?' vroeg haar moeder terwijl ze een versgebakken broodje pakte.

'O, ik plaag Kaya maar een beetje. Niets bijzonders,' zei Alexa met grote, onschuldige ogen en ze haalde haar schouders op. 'Mag ik alsjeblieft de honing?'

'Dan hebben we binnen twee minuten alle wespen van het westelijk halfrond op onze tafel!' zei haar vader met een grijns. Hij had een rood poloshirt aan en zag er jong en energiek uit. Op zijn vrije dag bloeide hij altijd helemaal op, liep 's morgens over van activiteit, ging kilometers hardlopen en nestelde zich 's middags met zijn leesvoer binnen in zijn roodleren stoel of buiten in zijn ligstoel, afhankelijk van het weer. Wijzend naar het grasveld vroeg hij met een spottend gezicht: 'Wie heeft er eigenlijk gemaaid? Het grasveld ziet eruit als een slecht geschoren baard!'

Alexa wees grijnzend naar Kaya.

'Oké. Maar ik heb het in elk geval gedáán!' Kaya besmeerde haar broodje met eiersalade. 'En dat kunnen we van jou niet zeggen!'

'Rustig, jongens!'

Hun moeder keek om zich heen. Haar blik dwaalde van de fruitbomen naar de border met wilde bloemen bij de heg en bleef rusten op het grasveld, op de eilandjes met nog hoog gras en talloze madeliefjes. 'Het heeft wel iets,' zei ze lachend. 'Misschien ben jij wel de enige kunstenaar in de familie, Kaya!'

Kaya lachte niet, gespannen als ze was dat het gesprek algauw over meneer Waldmann zou gaan. Ten slotte hield ze het niet meer uit. 'Heeft meneer Waldmann al gebeld?' vroeg ze.

'Jazeker!' zei haar vader. 'Wist je dat niet?'

'Hoe zou ik dat moeten weten?' riep Kaya verontwaardigd. 'Als jullie niets tegen me zeggen, dan weet ik dat toch niet?' Ze duwde haar schouderlange donkerblonde haar met een driftig gebaar naar achteren en keek haar vader ongeduldig aan.

'Hij pikt je over ongeveer een uur hier op en jullie blijven drie dagen weg. Dus pak genoeg in, vooral je tandenborstel, pyjama en schoon ondergoed!'

Kaya sprong zo wild op dat haar rieten stoel omviel. 'En dat zeg je nu pas?'

'Ga zitten, schat! Je hebt toch geen uur nodig om te pakken!' suste haar moeder.

'Natuurlijk heb ik wel een uur nodig om te pakken! Ik ben zo nerveus dat ik niet eens meer rustig kan nadenken!'

'Wat is er aan de hand?' vroeg Alexa met opgetrokken wenkbrauwen, maar haar moeder gebaarde dat ze stil moest zijn. 'Dat vertellen we zo.'

'Nou, fantastisch!' riep Alexa boos. 'De snotneus gaat drie dagen weg en ik kan meehelpen in het restaurant!'

'Maar je verdient er iets mee,' zei haar vader.

'Ja, zodat ik daarna drie dagen op vakantie kan!'

De zwarte BMW was belachelijk groot en hij rook vanbinnen naar nieuw leer. Kaya zonk weg in de stoel naast meneer Waldmann en keek verbaasd naar het brede dashboard met talloze klokjes, wijzertjes en knoppen in alle soorten en maten. 'Het lijkt wel de cockpit van een vliegtuig,' zei ze vol ontzag.

Meneer Waldmann lachte en keek haar van opzij aan. 'Je kunt de stoel ook hoger zetten als je wilt. Ik zal je zo laten zien hoe dat moet!'

'Dat is niet nodig, ik zit hier heerlijk!'

Hij gaf gas en de auto reed langzaam weg. Kaya zwaaide nog een keer naar haar ouders, die op de stoep voor het huis stonden. Haar vader had een arm om haar moeders schouders geslagen. Ze zagen er heel gezellig en verliefd uit, vond ze.

'Je hebt leuke ouders,' zei meneer Waldmann, terwijl hij ook nog even zijn hand opstak.

'Ja, ik ben erg blij met ze,' zei Kaya en ze voelde op dat moment een mengeling van liefde en trots. Ze had fantastische ouders. Dat was ook zo. Ze hadden jammer genoeg niet zo veel tijd omdat ze hard moesten werken, maar als ze tijd hadden waren ze oké. Ze had het slechter kunnen treffen.

Na een rit van vier uur meldde de tomtom dat ze de bestemming van de reis hadden bereikt.

'Zo, en nu wordt het spannend!' Meneer Waldmann pakte zijn mobieltje en toetste een nummer in. Hij had al de hele tijd zitten bellen, maar dat was steeds zakelijk en via de handsfree-installatie in de auto. Misschien was dit gesprek niet voor haar oren bestemd. Hij belde waarschijnlijk zijn vrouw.

Kaya keek naar buiten en deed alsof ze niet meeluisterde, maar in werkelijkheid was ze te nieuwsgierig om dat niet te doen.

'Een blokhut?' Aan zijn toon was te horen dat hij dat geen geweldig idee vond. 'Waarom geen hotel?'

Kaya bleef naar buiten kijken. Tot nu toe had ze alleen maar groene weilanden gezien. En ze reden over een provinciale weg. Was hier ergens hun 'plaats van bestemming'?

'Hè, dat vind ik echt vervelend!' Ze merkte dat hij zich half naar haar omdraaide. 'Dat had je me ook eerder kunnen zeggen!'

Kaya bleef strak naar buiten kijken.

'Ik stel me niet aan, ik erger me. Dat is iets anders!' Kaya bekeek haar vingernagels. Hij was woedend. Ze wilde dat ze ergens anders was.

'Ja, ik zal het regelen, tot zo!' Hij slaakte een diepe zucht en bleef even stil. Kaya ging weer recht zitten en keek op de weg voor hen.

'Mijn vrouw is soms een beetje...' Hij zocht naar een geschikt woord. 'Laten we zeggen chaotisch. Of beter: wispelturig. En impulsief. Nou ja, het maakt eigenlijk niet zo veel uit. Het is zomervakantie. Alle hotels in de omgeving zijn volgeboekt. We logeren in een vakantiehuisje.' Hij aarzelde even en voegde er toen bijna spottend aan toe: 'In een blokhut.'

'O, super!' riep Kaya en ze dacht: wat romantisch! Met Chris samen in een blokhut!

'Super?' herhaalde meneer Waldmann, terwijl hij zijn hoofd even opzij draaide en haar aankeek.

'Ja!' riep Kaya lachend. 'Ik vind een blokhut veel leuker dan zo'n stijf hotel!'

Hij zuchtte weer diep. 'Hm, ik weet het niet, hoor!'

Op dat moment kwam een groot gebouw in zicht, met verspreid eromheen een aantal schuren en stallen.

'Ah, hier is het dus!' jubelde Kaya en ze ergerde zich onmiddellijk aan zichzelf. Juichen en jubelen was zó kinderachtig. Wat moest Chris' vader wel niet van haar denken? Ze reden een heel groot, geasfalteerd erf op dat vol stond met paardentrailers in alle soorten en maten.

'Wauw!' riep ze verbaasd en ze gaf het op om zich langer in te houden. Zo'n grote, indrukwekkende manege had ze nog nooit gezien.

Meneer Waldmann glimlachte naar haar. 'Wacht maar tot je de binnenbak ziet. Chris zei dat de onze er twee keer in past!'

Toen hij 'de onze' zei, bedoelde hij de manege waar zijn zoon reed. Dat begreep Kaya wel. Maar dat betekende dat Claudia's manege er wel vier keer in kon.

'Gigantisch!' zei ze. 'Dreamy zou zich hier doodrennen!'

Meneer Waldmann lachte weer. 'Dat is een slim beestje, die Dreamy, die doet niet meer dan hij zelf wil!'

Hij heeft hem al helemaal door, dacht Kaya. Zij had steeds gedacht dat mevrouw Waldmann degene was met verstand van paarden, maar nu bleek meneer Waldmann toch ook geïnteresseerd te zijn.

Ze parkeerden tussen twee dure, zwarte terreinwagens in. Deze keer besloot Kaya niet meer zo verbaasd te doen. Ze wilde niet overkomen als een of ander onnozel kind van het platteland.

'Waar is Chris nu?' vroeg ze.

'Op de pony, zei mijn vrouw.'

'Spannend!'

Door een grote deur kwamen ze in de hal van de manege. Daar werden ze ontvangen door ongelooflijk veel vogelgekwetter en de zwaaiende hand van mevrouw Waldmann die in de open deur naar de binnenbak stond. Tegelijkertijd legde ze de wijsvinger van haar andere hand op haar mond. Kaya liep vlug naar haar toe.

'Fijn dat je bent meegekomen,' fluisterde mevrouw Waldmann. Ze had haar blonde haar in een hoge paardenstaart gebonden en zag er in haar shirt en spijkerbroek bijna uit als een oudere zus van Chris.

'Ik vind het heel leuk, hartelijk bedankt,' zei Kaya en ze gaf mevrouw Waldmann een hand. Daarbij kon ze de verleiding niet weerstaan over de schouder van de vriendelijke vrouw even in de binnenbak te gluren. Ze zag een parcours dat blijkbaar uitsluitend voor Chris was bedoeld, want die reed helemaal alleen door de bak. Behalve hem zag Kaya nog een grote man bij de ingang naar de bak staan. Hij was lang en had brede schouders, zonder twijfel was hij degene die het hier voor het zeggen had.

'Jullie zijn precies op tijd,' zei mevrouw Waldmann, terwijl ze haar man vluchtig een kus gaf. 'Tot nu toe heeft Chris alleen maar losse hindernissen genomen, maar zo meteen rijdt hij het hele parcours.'

En die hindernissen waren angstaanjagend hoog, vond Kaya.

'Wat is dit? Klasse M?'

'Goed geschat! Maar voor Wild Thing geen enkel probleem. Ze kan zelfs nog hoger!'

'Maar dan is die hindernis toch al hoger dan zij groot is?' Kaya durfde nauwelijks te kijken. Dit kon nooit goed gaan. Dreamy zou gewoon onder zo'n hoge hindernis door lopen.

'Daar kun je je gemakkelijk in vergissen!' Mevrouw Waldmann legde onbewust haar hand op Kaya's schouder. 'Let goed op nu!'

Het begon klassiek met een kruis. Dat was nog onschuldig, maar toen volgden de steilsprongen en oxers. Wat Kaya irriteerde waren de onregelmatige afstanden tussen de verschillende hindernissen – vooral de combinaties leken slordig neergezet, alsof er niet goed was gemeten. Maar het klopte. Het 'wilde ding' zoals mevrouw Waldmann Wild Thing noemde, vloog overal moeiteloos overheen. Deze pony was briljant.

Toen Chris de laatste oxer had genomen begon Kaya enthousiast in haar handen te klappen, maar ze kreeg meteen een por in haar ribben van Chris' moeder. 'Sst,' fluisterde ze, 'denk aan de koopprijs die we straks nog moeten afspreken. Je moet zeggen dat de pony slecht, niet mooi en waarschijnlijk met medicijnen ingespoten is!'

'Wát?'

'En dat je geen enkele paardenverkoper vertrouwt!'

Wat bedoelde ze? Paardenverkoper? Waren ze hier dan niet in een africhtingsstal? In zo'n manege werd toch niet gehandeld?

'Ik dacht...' begon ze, maar ze maakte haar zin niet verder af, omdat Chris naar hen toe kwam.

'Super!' zei ze alleen maar. Hij zag er fan-tas-tisch uit. Zijn blonde haar stak wild onder zijn cap uit, zijn hemd stond een beetje open, zijn zit was uitstekend. Hij zou een mooi paard-met-ruiter-standbeeld kunnen zijn.

'En, wat zeg je ervan?' vroeg hij in plaats van haar eerst eens te begroeten.

'Indrukwekkend,' zei Kaya en ze gaf de merrie zachte klopjes op haar enigszins vochtige hals. Haar conditie was stukken beter dan die van Dreamy, die na een uur dressuurtraining al zweette als een sumoworstelaar. Maar de moeder van Chris had gelijk, het was geen mooi dier. Niets aan de pony was echt mooi. De lichaamsbouw niet, het hoofd niet, nee, ze zag er absoluut niet uit als een pony die meedeed aan de Europese kampioenschappen. Eerder als een boerenknol.

Kaya verborg haar teleurstelling. Ze had zich zo'n dure pony minstens zo mooi voorgesteld als de schimmel van Minka, of nog mooier. Ze had bijvoorbeeld aan een glanzende, gitzwarte merrie gedacht met een symmetrische witte bles midden op haar voorhoofd. Maar deze merrie was bruin. Niet donkerbruin, ook niet reebruin, gewoon saai bruin. Als een vrouw die kleur haar had, zou ze onmiddellijk naar de kapper gaan om het te laten verven. Uit pure onzekerheid klopte Kaya het dier nog eens op haar hals. Wat moest ze zeggen? Moest ze liegen?

'Ze springt als een duivel!' Chris keek haar stralend aan. Ja, daar kon ze iets over zeggen: 'Ik heb nog nooit een pony zo zien springen!'

'Als je wilt, rijd jij morgenochtend een dressuurproef met haar. Ik kijk graag toe, want dan zie je vaak meer.'

'Oké!' Ze knikte en was blij dat hij het over morgen had. Alhoewel... De hele familie Waldmann zou haar met argusogen volgen – waar was ze eigenlijk aan begonnen?

Een jonge vrouw met glanzende rijlaarzen en een T-shirt waarop de naam van de manege stond, kwam de bak binnen. Ze begroette meneer Waldmann kort, knikte naar Kaya en nam de teugels van de pony over. Chris sprong eraf. De vrouw steeg op en reed naar buiten.

'Wat gaan ze doen?' wilde Kaya verbaasd weten.

'Een kleine ontspanningsrit in stap, maakt de spieren en gewrichten los, laat haar wennen aan dieren waar ze van schrikt, aan de geluiden van buiten. Dat doen ze hier met elk paard.'

Kaya was onder de indruk. Dat moest ze zeker aan Claudia vertellen, het was geen slechte gewoonte.

'Je moet me over Wild Thing vertellen,' zei Kaya tegen Chris. Ze was nieuwsgierig en als hij vertelde, hoefde zij niets te zeggen.

'Maar eerst gaan we iets eten,' besloot Chris' moeder. 'Er is hier een restaurantje dat lekker eten heeft en nog goedkoop is ook!' Ze glimlachte naar haar man. 'Ergens moet je dat vele geld toch weer terughalen!'

Hij grijnsde als een wolf in schaapskleren. 'En door te overnachten in die blokhut besparen we natuurlijk ook veel geld!'

'Wacht maar af, pa, je zult zien dat het hartstikke gaaf is!' Chris knikte zijn vader lachend toe.

Kaya's fantasie nam haar mee naar een leuke blokhut in een groene wei. Op het terras stond een kleine tafel waarop een rood-wit geruit tafellaken lag. Op de tafel stond een vaas met veldbloemen in alle kleuren, en er was gedekt voor twee personen. In de hut stond een superromantisch hemelbed dat met lichtblauwe lakens was opgemaakt... En verder ging haar voorstellingsvermogen op dat moment niet.

'Wanneer kunnen we de stallen bekijken?' wilde ze nog weten voor ze zich bij de familie Waldmann aansloot, die de bak al uit was gelopen en op weg was naar de deur. Meneer Waldmann draaide zich naar haar om. 'Daar zal in de komende drie dagen wel een keer tijd voor zijn, denk ik.'

Hij had vandaag geen driedelig kostuum aan, maar een soepele, groene kasjmieren trui op een kakikleurige broek. Een toch zag hij er in deze omgeving nog steeds uit alsof hij van Mars kwam.

Het eten werd net opgediend, toen meneer Meiling naar hen toe kwam. Hij was een lange man, die er goed uitzag in zijn ruimvallende broek. Zijn blauwe ogen straalden in zijn gebruinde gezicht. Zijn glimlach was vriendelijk en wekte vertrouwen. Hij wist alles van paarden en niet alleen dat, hij was zelfs bondscoach van het nationale dressuurteam, hoorde Kaya. Ze keek vol ontzag naar hem, terwijl hij aan hun tafel ging zitten. Meneer Waldmann gaf hem het menu, maar hij schudde zijn hoofd en bestelde alleen maar een biertje. 'Dit is voor mij al eten genoeg!' zei hij.

Mevrouw Waldmann lachte, omdat deze ruige man haar blijkbaar wel beviel. Ze knikte haar man toe en zei plagend: 'Zo kan het ook, Fred!'

Kaya keek Chris afwachtend aan. Zou hij meneer Meiling nu bestoken met vragen? Maar de jongen genoot van zijn enorme schnitzel met friet. Natuurlijk, Kaya had ook trek, maar als het hier om háár nieuwe pony was gegaan, had ze haar bord allang opzij geschoven… Maar het ging niet om haar pony, dus begon ook zij kleine stukjes van het vlees af te snijden en ze moest na de eerste hap toegeven dat de keuken inderdaad niet slecht was – helemaal niet voor die prijs. Als ze dat tegen haar vader zou zeggen, zou hij haar ongelovig aankijken. In het restaurant van haar ouders kostte een schnitzel ruim het dubbele.

De ouders van Chris hadden allebei een pepersteak besteld, maar voor ze begonnen te eten wisselden ze eerst een paar woorden met meneer Meiling.

In het begin luisterde Kaya nog vol belangstelling. Na verloop van tijd deed ze het uit beleefdheid en ten slotte raakte ze helemaal verdiept in haar eigen gedachten. Ze had heerlijk gegeten en kreeg slaap. Met Chris ging het precies zo. Hij moest een paar keer gapen en deed niet echt moeite dat te verbergen.

'Mogen wij anders vast naar de hut gaan?' vroeg hij even later aan zijn ouders. Die hadden net een nieuwe fles wijn besteld, want intussen was ook meneer Meiling op wijn overgestapt. Dat ging dus nog een poosje duren.

'Kaya's spullen liggen nog in de auto,' zei meneer Waldmann, maar Chris maakte een onbezorgd gebaar met zijn hand. 'Die nemen we toch gewoon mee. Zo ver is het niet. Ik kan Kaya haar kamer laten zien en dan kunnen we gaan slapen. Het is al best laat!'

Mevrouw Waldmann keek op haar horloge en knikte verbaasd, en meneer Waldmann liep mee naar de auto.

'Wat vind jij van Wild Thing?' vroeg hij aan Kaya onderweg naar de parkeerplaats.

'Ze is sneller, soepeler en preciezer dan alle andere paarden die ik ooit in mijn leven heb gezien,' antwoordde Kaya spontaan. Ze vroeg zich daarna onmiddellijk af, waar ze zo'n goed antwoord vandaan had getoverd.

Meneer Waldmann knikte. 'Ik ben benieuwd hoe het

morgen gaat,' zei hij. Hij haalde haar weekendtas uit de kofferbak en gaf hem aan Chris.

Ik ook, maar ik ben ook benieuwd wat er vandaag nog gaat gebeuren, dacht Kaya.

Het was allang donker. Chris liep met Kaya door de nacht. Hij had haar weekendtas losjes over zijn schouder geslingerd, alsof het ding niets woog, maar Kaya was ervan overtuigd dat ze er minstens twintig kilo aan spullen in had gepropt. Alleen haar rijlaarzen lagen nog in de auto, de rest droeg Chris op zijn rug. Kaya vond het leuk zo met hem over het voetpad te lopen. Het was smal, liep om een paar huizen heen en werd helder beschenen door het licht van de maan, die als een glanzende munt aan de hemel hing.

'Geloof jij in volle maan?' begon ze een gesprek. Nadat ze vijf minuten zwijgend naast elkaar hadden gelopen vond ze het de hoogste tijd om haar mond open te doen.

'Je bedoelt die oude heksenverhalen?'

Hij zag er zo goed uit, zoals hij naast haar liep. Ze keek naar hem op en vond hem fantastisch. Het leek of zijn blonde krullen het maanlicht vingen en vasthielden. Wat zou ze graag met hem zoenen...

'Nee, de nieuwe!'

'De nieuwe?' Hij keek haar vragend aan. 'Wat bedoel je?'

'Nou, dat het maanlicht zelfs de dieren beïnvloedt. Bij volle maan zijn ze 's nachts veel actiever dan anders. En er zijn genoeg mensen die 's nachts bij volle maan wandelingen maken – of andere dingen doen.'

Nu leek hij geïnteresseerd. 'Wat voor dingen?'

Ze liepen het laatste huis voorbij. Het leek of dit voetpad naar het niets leidde. In elk geval waren er vóór hen en links en rechts van hen alleen nog maar door de maan verlichte weilanden. Ook goed, dacht Kaya. Dan zou ze met Chris de nacht doorbrengen tussen de madeliefjes en de boterbloemen. Dat leek haar zelfs nog leuker dan een blokhut met veel kamers.

'Van alles,' zei ze en ze dacht diep na. Wat deden mensen 's nachts behalve slapen? 'Sommigen slaan aan het moorden en anderen worden opeens zonder reden smoorverliefd...' Ho, dat was nu niet zo geschikt, dacht ze. 'Het schijnt in elk geval op vrouwen te werken!'

Weer keek hij haar aan. 'En, voel jij iets?' wilde hij weten.

'Ik?' Nu of nooit, dacht ze. 'Ja!' antwoordde ze dapper.

'Wat dan?'

O, shit, was Alexa nu maar hier, die had vast iets verzonnen. Wat kon ze voelen?

'Een onrustig soort kriebel. Ik ben klaarwakker en heb zin om iets geks te doen!'

'Nou, dat heb ik ook, maar ik ben geen vrouw!'

Hij lachte even, maar hij liep gewoon door.

Maar Kaya wilde nog niet opgeven. 'Waar voel je die kriebel?' vroeg ze.

'Ik voel geen kriebel.' Hij bleef zo zakelijk. 'Maar ik heb wel zin om... hé, zie je die twee rijen bouwsels daar? Dat zijn de blokhutten al!'

Dacht hij soms dat ze acht of negen jaar was, of wat was er aan de hand met hem? Ze liepen hier bij volle maan over een pad tussen weilanden en akkers door en hij had blijkbaar geen enkele romantische kriebel. Zij was met haar dertien jaar verder dan hij met zijn vijftien!

'Oké,' zei Kaya kortaf. Liep hij misschien nog steeds aan haar oudere zus te denken? Maar Alexa droomde van oudere jongens en niet van knullen van vijftien. Misschien moest ze hem dat toch nog een keer heel duidelijk maken.

Hij gooide met een zwaai haar weekendtas over zijn andere schouder. 'Je zult zien dat de blokhut echt super is. Onze kamers liggen naast elkaar, maar dat is helemaal niet erg, want ik snurk niet!'

Hij lachte om zijn eigen grap en Kaya wierp hem een boze blik toe. Was hij wel goed bij zijn hoofd?

'Mijn vader was flink pissig, omdat hij anders altijd in hotels met allemaal toeters en bellen slaapt, maar een beetje landlucht zal hem vast goed doen!'

Kaya beet op haar onderlip.

'Zie je?' Chris wees voor zich uit. 'Daar tussen de bomen ligt onze hut. Hij ligt het meest rechts, bij de grote wei. Als we zin hebben kunnen we morgen Wild Thing meenemen en hier laten grazen.'

'Hebben ze hier geen uitloopweilandjes?'

'Wel een paar, maar niet voor de paarden die worden afgericht.'

'Arme beesten!'

Chris zei niets, maar bleef opeens staan.

'Wat is er?' vroeg Kaya geschrokken.

Hij liet haar weekendtas van zijn schouder op de grond vallen en begon in de zakken van zijn broek en jas te rommelen.

'Wat is er, wat zoek je?'

'Heeft mijn moeder de huissleutel meegegeven? Kun jij je dat herinneren?'

Nee, Kaya kon het zich niet herinneren. Ze hadden in het eethuisje afscheid van haar genomen. Chris' vader was met hen naar zijn auto gelopen, had haar weekendtas uit de kofferbak gehaald en de auto weer afgesloten.

'Niet toen ik erbij was, in ieder geval!'

Ze keek Chris aan. Hij had zich in de manege nog vlug omgekleed. Hij had een spijkerbroek met daarop een donkerrood poloshirt aan en hij liep op Nike's. Veel opbergmogelijkheden waren er dus niet.

'Zoek nog eens heel goed,' zei ze.

Hij sloeg op de zakken van zijn jack, op de zakken aan de voorkant van zijn jeans, op zijn kontzakken en voelde met zijn handen opnieuw alle zakken na. Ten slotte schudde hij zijn hoofd en vloekte zachtjes. 'Het zal toch niet waar zijn!'

Nee, alsjeblieft niet, dacht Kaya.

'Shit! Nu moet ik dat hele eind terug.'

'Zal ik nog eens zoeken?'

'Dank je, maar dat hoeft niet. Ik ken mijn zakken zelf goed genoeg!' Hij haalde diep adem. 'Het beste lijkt me dat je met je weekendtas naar de hut loopt. Het is de meest rechter hut van hieraf gezien. Voor de hut staat een houten bank. Ga daar maar zitten wachten tot ik terug ben. Ik zal echt opschieten!'

Kaya vond het vooruitzicht in het donker alleen voor de hut te zitten niet zo aanlokkelijk.

'Ik kom zo vlug mogelijk terug!'

Vlug terug? Heen en weer ging zeker dik een halfuur duren, als het geen drie kwartier was.

'Ik ga mee!' zei ze toen heel vastbesloten. Vaarwel droom van ongestoord samen de hut verkennen. Zijn ouders zouden daarna vast tegelijk met hen terugkeren.

'Of wacht,' zei ze en ze pakte zonder nadenken zijn hand vast. 'Misschien staat er wel een raam op een kier? Of misschien ligt er een sleutel onder de mat voor de voordeur of zoiets?'

Hij liet niet alleen haar hand in de zijne, maar gaf er ook nog een kneepje in. 'Kaya, je bent geweldig! Precies! Stomme idioot die ik ben! Mijn moeder heeft de sleutel in de bloempot gelegd, voor het geval mijn vader ons zou kwijtraken!' Nu lachte hij. 'Wat een geluk. Ik zou zijn teruggelopen en mijn moeder zou me dan behandeld hebben als een sukkel!' Hij sloeg zijn armen om Kaya heen en drukte een kus op haar voorhoofd. 'Hartstikke bedankt voor de schadebeperking.'

'Voor wat?'

'O, niets. Dat is een juridische term die mijn moeder vaak gebruikt. Ze is juriste. Het betekent alleen maar dat ik blij ben dat ik mezelf niet voor schut heb gezet!'

Ze stonden nog steeds tegenover elkaar. Chris' armen lagen op Kaya's schouders. Hun knieën raakten elkaar licht, hun gezichten waren dicht bij elkaar. Op de nachtelijke geluiden na uit de bossen in de buurt, was het volkomen stil. Ze bewogen zich allebei niet en plotseling voelde Kaya Chris' lippen op de hare. Ze durfde nauwelijks adem te halen, om hem niet te laten schrikken. Misschien zou hij opeens wakker worden en zien

34

dat zij het was en niet Alexa of een ander leuk, ouder meisje.

Het tegendeel was waar. Hij trok haar dichter tegen zich aan. Zijn lippen waren vol en zacht en toen ze zijn tong over haar lippen voelde dacht ze, oké, dit is dus een tongzoen en tegelijkertijd dacht ze erover na wat ze nu moest doen. Ze deed gewoon haar ogen dicht en beantwoordde de kus. Het ging helemaal vanzelf. Opeens moest ze aan oude films denken, aan romantische scènes met Cary Grant en Audrey Hepburn. Die zoenden toch ook met hun ogen dicht? En omdat het haar eerste echte kus was, wilde ze van het moment genieten.

Zijn handen waren intussen van haar schouders over haar rug naar beneden gegleden en ze vroeg zich net af wat hij nu misschien zou gaan doen, toen ze de motor van een naderende auto hoorde. Even later schenen de koplampen tussen de bomen door en omdat het voetpad en de weg het laatste stuk naast elkaar liepen, zouden ze straks in het volle licht staan. Verdorie, dacht Kaya.

Chris liet haar los en keek haar aan. 'Je kust goed,' zei hij met verbazing in zijn stem, alsof hij dat niet verwacht had.

'Doe ik elke dag,' zei ze met een ernst die ze zelf nauwelijks kon geloven.

'Aha!' zei hij alleen maar en hij hing haar tas weer over zijn schouder. 'Laten we maken dat we bij de hut komen!'

Kaya knikte, hoewel hij dat niet kon zien, en rende half naast, half achter hem aan, omdat Chris met zijn lange benen plotseling harder begon te lopen.

De auto kwam dichterbij, zette hen zoals verwacht in het felle licht en reed voorbij. Kaya had niemand kunnen herkennen, maar ze vond het vreemd dat de ouders van Chris gewoon doorreden.

'Dat zijn onze buren,' legde Chris uit. 'Had ik eigenlijk meteen kunnen weten als ik goed had geluisterd!'

'Hoezo?'

'Wij hebben geen diesel!'

De blokhut was geweldig. Hij stond iets verder weg van de andere blokhutten. Nadat Chris de deur had opengemaakt en ook de buitenverlichting had aangedaan, zag Kaya dat het huis in een zee van veldbloemen stond.

'Wat fantastisch,' zei ze zachtjes. 'Zo veel veldbloemen zou ik thuis ook wel in de tuin willen hebben, maar mijn ouders zouden onze tuin het liefst stofzuigen! Het gras moet om de haverklap gemaaid worden, verschrikkelijk!'

Chris knikte zonder iets te zeggen en gebaarde haar mee naar binnen te gaan. Wat zou hij nu denken, dacht Kaya. Zou hij die ene kus nog eens willen overdoen? Zij zag dat wel zitten, maar ze voelde zich tegelijkertijd ook verlegen, en ergerde zich daaraan. Niet te geloven! Je las steeds over die eerste kus in allerlei blaadjes, en dat vrouwen ook best de eerste stap konden zetten. Maar als het erop aankwam, zat je toch weer af te wachten!

Kaya, dacht ze, je gaat naar hem toe, je slaat je armen om zijn nek en je begint hem te zoenen.

Maar hij was al doorgelopen.

'Kijk, hier is de huiskamer,' zei hij, wat ze natuurlijk wel zag, 'met de keukenhoek.' Hij liep terug de gang in. Kaya volgde hem. Hij wees naar twee deuren. 'Daar liggen onze kamers, tegenover de badkamer, en helemaal achterin is de slaapkamer van mijn ouders.'

Kaya keek zonder iets te zeggen de gang in. Ze kon zich niet voorstellen dat ze meneer Waldmann 's morgens zou tegenkomen op weg naar de badkamer. Het was niet zo raar dat hij erover had gemopperd. Hij was natuurlijk gewend dat hij vanuit zijn slaapkamer zijn eigen badkamer binnen kon stappen.

Chris droeg de weekendtas naar haar kamer en ze liep achter hem aan naar binnen. De buitenwand van het hele huis bestond uit ruwe boomstammen. De tussenwanden waren ook van hout, maar dat was blank geschuurd en gebeitst. Het zag er mooi uit, al was de kamer nogal klein. Een bed, een kast, een klein tafeltje naast het bed als nachtkastje, een staande schemerlamp en een stoel. Voor meer meubilair was er geen ruimte. Maar de gordijnen waren vrolijk gebloemd en dat maakte de kamer gezellig. Hier kon ze het heel goed uithouden.

'En jouw kamer?' vroeg ze.

Chris wees met zijn hand naar de wand die de twee kamers scheidde. 'Precies hetzelfde. Alleen anders gekleurde gordijnen. Geen oranje met geel, maar blauw met groen.'

De jongenskamer dus. Vader, moeder, zoon, dochter. Zo waren de gezinnen vaak opgebouwd. Kaya grinnikte.

'En nu?' vroeg ze.

'Nu gaan we slapen,' antwoordde Chris. Dat had ze eigenlijk niet willen horen. Maar wacht even, wat bedoelde hij met 'we'? Wilde hij soms bij haar in bed kruipen? Ze wist het niet.

'Ben jij moe?' vroeg ze.

'Kapot! Het was een lange dag,' zei hij. En hij begon te gapen.

'Ondanks de volle maan?'

'Morgen is er weer een dag!'

Dat is waar, dacht Kaya, maar was er ook weer zo'n avond? Ze zuchtte diep. En toen glimlachte ze even. Misschien vonden Chris' ouders het wel leuk om morgenavond met zijn tweetjes naar het restaurant te gaan?

'Morgen wil mijn moeder trouwens graag hier koken, dus verheug je maar, dat wordt lekker!'

Daar had je het al! Een compleet familieprogramma. Het zou bij die ene kus blijven en die had dus niets te betekenen.

Toen hij ten afscheid alleen maar zijn hand opstak en naar de deur liep, was Kaya hevig teleurgesteld. Op de drempel bleef hij echter staan en hij draaide zich om. 'Zoen jij echt elke dag met iemand?' wilde hij weten. Zijn wenkbrauwen waren gefronst. Hij boog zich iets naar voren en keek haar afwachtend aan.

'Natuurlijk!' gooide ze er strijdlustig uit. Wat had ze op zo'n vraag dan moeten antwoorden? Nee, jij gaf me mijn eerste zoen? Zoiets zou ze nooit van haar leven toegeven, dat was veel te kinderachtig.

'Oké,' zei hij, 'slaap lekker.' Hij trok de deur achter zich dicht en was verdwenen.

Kaya keek hem ongelovig na en liet zich verslagen op het bed zakken. Moest ze dit begrijpen? Nee, dat hoefde niet. Maar ze begreep nu haar moeder beter. Die zei vaak: 'Snapt een vrouw ooit iets van een man?' En vandaag had ze een beetje een idee gekregen, wat haar moeder daarmee bedoelde.

Er werd hard geklopt. Het duurde even voordat tot Kaya doordrong dat het haar kamerdeur was, waarop werd geklopt. Ze deed haar ogen open, bedacht waar ze was, maar was toch nog niet helemaal wakker. Zonlicht scheen door het raam naar binnen. Ze had de vorige avond de gordijnen niet dichtgedaan. Het zonlicht trok een brede baan over de houten vloer. Voor het bed lag een matje van een onbestemde kleur dat een beetje bobbelde. Aan de wand boven haar hoofd hing de foto van een paard. Een paard in galop op een omheind stuk weiland, iets wat ze hier niet hadden, als Chris gelijk had.

Chris…

Opeens herinnerde ze zich de vorige avond weer. Haar blik gleed naar haar weekendtas, die ze van de stoel had getild en op de grond naast de kast had gezet. Ze had haar pyjama eruit gehaald, maar verder niets meer uitgepakt. Ze was doodmoe in bed gekropen. Nu zag ze dat haar kleren van de vorige dag op de stoel lagen, maar de rest lag op de grond of hing rommelig half uit de tas.

Ze had het erg gevonden dat Chris gewoon was weg-gegaan. Doei en weg. Blijkbaar kon dat dus zomaar. Ze had zich alleen gevoeld en dat was ze natuurlijk ook. Na het hoopvolle begin in het bos was hij gewoon naar bed gegaan. Zo moe als een beverig oud mannetje.

Ze was nog steeds verontwaardigd. Of was ze verdrietig? Ze wist niet zo goed wat ze voelde.

Er werd opnieuw op de deur geklopt. Deze keer klonk het harder en een stem riep: 'Kaya, sta je op? We ontbijten over een kwartiertje!'

Dat was de moeder van Chris. Ze kon maar beter opstaan.

'Ja, dank u wel, ik kom eraan!' riep ze, waarbij ze haar best deed om vrolijk te klinken. Ze keek op haar horloge. Zeven uur. Wat! Waarom stonden ze op een vrije dag al om zeven uur op?

Toen schoot haar te binnen dat ze vandaag op Wild Thing zou rijden en haar hart begon onmiddellijk sneller te kloppen. Een pony die prijzen had gewonnen op de Europese kampioenschappen! Ze was op slag klaarwakker en bloednerveus. Hopelijk ging het goed.

Als ze maar niet vergaten dat Dreamy beter bij haar paste dan die bruine merrie, zelfs al had de pony bewezen dat ze fantastisch kon springen.

Wie niet mooi is, moet altijd beter presteren.

Waarom schoot deze zin haar op dit moment te binnen? Alexa was er pas geleden woedend van school mee thuisgekomen en onder het eten was er een verhitte discussie ontstaan. Haar vader vond dat er waarheid in stak, maar haar moeder ging er onmiddellijk fel tegenin.

'Ben ik mooi?' vroeg ze aan haar man, die zich haastte dat te bevestigen.

'Presteer ik goed?' was de tweede vraag.

Kaya's vader knikte opnieuw als antwoord. En Kaya's moeder vond dat ze daarmee had aangetoond dat het vooroordeel niet klopte.

Toch bleef het door Kaya's hoofd spelen. Misschien waren mooie pony's toch al de verwende dieren en stonden de lelijke onopgemerkt ernaast, tot ze merkten dat ze ook aandacht kregen als ze er hun best voor deden.

Ze zat nog steeds in gedachten verzonken op haar bed toen er weer werd geklopt. Deze keer was het Chris. 'Het bad is vrij.'

Jammer, dacht Kaya, ik had het graag met je gedeeld.

Mevrouw Waldmann had de buitentafel gedekt. Het was best gek om plotseling als vanzelfsprekend bij een ander gezin aan tafel te zitten. Meneer Waldmann had vandaag een geruit overhemd aan op een donkerblauwe linnen broek. Dat was zeker het beste wat zijn kledingkast aan vrijetijdskleding te bieden had, dacht Kaya geamuseerd. Als ze hem met haar eigen vader vergeleek, die alleen maar een pak aantrok als er ergens een feest was en haar moeder er echt op aandrong, en die verder altijd in spijkerbroek en poloshirt rondliep... Nou ja, dan was meneer Waldmann toch wel wat stijver. Hij at zijn boterhammen bij het ontbijt zelfs met mes en vork. Kaya kende niemand die zijn ontbijt met mes en vork at. Alle mensen die zij kende namen altijd gewoon een hap uit het brood dat ze in hun hand hielden.

Mevrouw Waldmann had voor zichzelf een kom muesli gemaakt met yoghurt en allerlei soorten fruit. 'Goedemorgen! Wil jij ook zo'n energiebom als ontbijt?' had ze aan Kaya gevraagd, toen ze uit de badkamer kwam.

Energie kon ze altijd gebruiken, maar ze wilde eerst afwachten wat Chris zou eten. Die stopte net een broodje met honing in zijn mond, zoals Kaya thuis ook altijd deed. Gelukkig, dan kon zij dat ook doen en hoefde ze niet te doen alsof ze het 'energieontbijt' van mevrouw Waldmann lekker vond.

Mevrouw Waldmann had ham en kaas gekocht en een pot honing, een pak melk en afbakbroodjes die nu warm en uitnodigend in een mandje op tafel stonden. Keuze genoeg dus. Ze zaten ruim een half uur aan tafel, maar toen werd Chris, die als eerste klaar was met eten, onrustig.

'Zullen we maar eens gaan?'

Hij keek Kaya aan en ze voelde dat ze een kleur kreeg. Nee hè, dat alsjeblieft niet. Ze moest snel een smoesje bedenken om die stomme rode wangen te verklaren. 'Ik vind het super spannend,' zei ze vlug. 'Rijden op een pony die heeft meegedaan aan de Europese kampioenschappen, dat had ik nooit kunnen dromen.'

Meneer Waldmann knikte haar vol begrip toe. 'Maar het lukt je wel,' zei hij. Dat vond ze leuk. Als iemand 'dat lukt je wel' tegen iemand anders zei, bleek daar zo veel vertrouwen uit, dat de verwachting al bijna vanzelf uitkwam. Goed, het zou haar lukken.

'Hebben we een tijd afgesproken? Wacht meneer Meiling op ons?' Ze keek Chris weer aan. Haar wangen konden niet nog roder worden, want ze waren al vuurrood.

Zoals hij haar gisteren gezoend had, en zoals hij er vandaag ook weer uitzag! Zijn haar was nog vochtig van het douchen en het turkooizen poloshirt stond prachtig bij zijn gebruinde huid. Zijn jeans hing losjes op zijn heupen en hij droeg een brede, soepele, leren riem, wat hem nog sexier maakte. Ze was echt smoorverliefd. Het liefst had ze haar armen meteen weer om zijn nek geslagen, maar hij was bij zijn ochtendgroet zo koel en zwijgzaam geweest, dat ze nu alleen maar even vaag naar hem glimlachte. Dat was eigenlijk het ergste, dit toneelspelen, terwijl je eigenlijk heel iets anders dacht en voelde.

Ze slaakte een diepe zucht.

'Rustig maar, Kaya,' zei Chris' moeder en ze glimlachte tegen haar. 'Zo moeilijk zal het heus niet zijn!'

Het is al moeilijk genoeg, dacht Kaya. Maar toen lachte ze. 'Nee, in tegendeel, ik verheug me erop!'

'In dat geval hup, heren, snel afruimen!'

Voor Chris leek dit volkomen vanzelfsprekend. Hij stapelde de gebruikte borden op elkaar, bracht ze naar het aanrecht en zette alles meteen in de vaatwasmachine. Kaya hielp Chris' moeder met het opruimen van de ham en de verschillende soorten kaas, terwijl Chris' vader bleef zitten.

'Onze sultan,' plaagde mevrouw Waldmann. 'Zijn moeder heeft hem verschrikkelijk verwend en hij heeft tot op de dag van vandaag niet begrepen, dat niet alle vrouwen zo denken!'

'Misschien wil hij het niet begrijpen,' zei Kaya zachtjes. 'Mijn vader is op zulke momenten ook altijd opeens spoorloos verdwenen, maar uiteindelijk vindt mijn moeder hem in al zijn speelhoeken!'

44

'Speelhoeken?' herhaalde mevrouw Waldmann lachend.
'Voor zijn computer, achter de krant, onder de auto…'
Chris' moeder schoot opnieuw in de lach. 'Het klinkt
in elk geval gezellig!' zei ze.

Kaya dacht daar even over na. 'Ja, dat is waar. Er wordt
bij ons veel gelachen, maar tegelijkertijd werken mijn ouders ook altijd hard. Ik denk dat ze dat lachen nodig hebben als compensatie voor de drukte van het restaurant.'

'Heel wijs, wat je daar zegt, Kaya. En je bent pas dertien!'

'Al dertien,' corrigeerde Kaya en ze likte de honing weg,
die bij het dichtdraaien van de pot aan haar wijsvinger was
blijven plakken.

'Zijn jullie zover?' Chris stond al in de deuropening.

'Mijn zoon wordt ook ooit een goeie,' zei mevrouw
Waldmann.

Dat is hij toch al? dacht Kaya. Chris trok zijn wenkbrauwen op. 'Mahaaa!' riep hij met een lange 'a', zoals zij
ook altijd deed als háár moeder iets pijnlijks zei. Moeders
konden vaak echt pijnlijke dingen zeggen. Vreemd dat ze
dat zelf niet merkten.

'Ik ben klaar!' zei Kaya, om het gesprek van onderwerp
te veranderen. Ze had een dun felblauw shirt aan op een
felblauw met grijs geruite rijbroek. Bovendien had ze van-
wege de bijzondere situatie een beetje make-up opgedaan
en haar haar in een knot gedraaid. Ze zag er goed uit. Dat
had ze in elk geval voor de spiegel in de badkamer nog
gedacht. Hopelijk zag hij het ook.

'Goed zo.' Hij knikte haar toe. 'Hebben we wortels?'
vroeg hij aan zijn moeder, die met haar hoofd naar een
smalle kast knikte.

'Genoeg voor een week!'

Meneer Waldmann zat nog steeds aan tafel, hij had zijn ogen dicht en voelde zich waarschijnlijk heel ontspannen.

'Wil je eigenlijk mee?' vroeg zijn vrouw aan hem.

Hij deed zijn ogen open. 'Wat een vraag! Volgens mij was ik toch echt degene die het allemaal bedacht had!'

Niet Chris?

Nu was Kaya pas echt teleurgesteld. Had meneer Waldmann niet gezegd dat Chris hem had gebeld om hem te vertellen over haar prestaties bij het dressuurrijden? Zou ze het navragen? Nee, niet doen, dacht ze.

Ze stapten achter in de jeep van mevrouw Waldmann. Die was zeker ook niet goedkoop geweest. Geld hebben was heel prettig, dacht Kaya, en ze begreep waarom haar zus na haar studie zo graag een goedbetaalde baan wilde. Als je niets hebt, moet je altijd goed opletten of je wel mee mag doen, en dankbaar zijn voor elke kans. Op dat moment nam ze zich stilletjes voor op school harder te gaan werken. Ze wilde later ook ooit een eigen paard hebben en een jeep en een paardentrailer. Ze keek door het raampje naar buiten en glimlachte, terwijl mevrouw Waldmann de wagen draaide. En ze had een paardenman nodig. Iemand die net zo dol was op paarden als zij. Chris. Dan konden ze samen rijden en dan zou het leven fantastisch zijn.

Ze voelde zijn hand op haar bovenbeen en keek met een ruk opzij. Hij zat duidelijk in gedachten verdiept naast haar, maar had zijn hand op haar bovenbeen gelegd! Vond hij dat soms spannend, omdat zijn ouders voorin zaten? Als zijn vader zich zou omdraaien zou hij het onmiddel-

lijk zien. Ze keek hem doordringend aan, maar hij grijnsde alleen maar. Toen haalde hij zijn hand weg en schoof
naar zijn hoek. 'Echt tof dat je bent gekomen, en dat je
dit voor me doet!' zei hij luid en duidelijk.

Zijn vader draaide zich om en glimlachte naar hem. 'Ja,
ze heeft Dreamy kort geleden uitstekend gereden. Zo had
ik hem nog nooit gezien!'

Nee, maar je was ook nog nooit in onze manege geweest, dacht Kaya. Maar ze moest hem wel gelijk geven.
Het was echt een geweldige prestatie geweest en ze wist
tot nu toe nog steeds niet, waaraan ze dat te danken had.
Misschien wilde Dreamy liever dressuurpony worden?
Nee, dat was onzin, hij verveelde zich in de bak meestal
dood.

Ze reden op het stuk waar ze gisteren hadden gelopen.
Daar was de plek waar ze hadden gezoend. Ze keek vlug
naar hem, maar Chris gaf geen reactie. Wacht maar, dacht
ze, als je een oorlogsverklaring nodig hebt kun je hem krijgen. We hebben in elk geval nog twee dagen.

'We zijn er bijna,' zei mevrouw Waldmann vrolijk. Ze
zag er ook vandaag weer uit alsof ze bij het personeel van
de manege hoorde. Een gewoon T-shirtje op een ver-
schoten spijkerbroek. Haar kleding was compleet het te-
genovergestelde van die van haar man.

'Ik ben benieuwd,' zei hij.

'Anders ik wel!' viel Chris hem bij en hij gaf Kaya een
knipoog. Het vervelende was dat hij haar nu weer be-
handelde als zijn kleine zusje. Ik zal zijn merrie zo goed
berijden dat hij wel verliefd op me móét worden, dacht
Kaya. En met dit heilige voornemen stapte ze uit.

Wild Thing stond al gepoetst en gebandageerd op hen te wachten.

'Eigenlijk jammer,' zei Kaya. 'Ik vind dat je paarden beter leert kennen als je dat zelf doet.'

Ze toverde een wortel tevoorschijn en gaf die aan de merrie. Terwijl het dier stond te knabbelen, streek Kaya haar over haar brede neus. Die was duidelijk te groot. Maar Kaya vond haar eigen neus ook te groot. Ze konden er allebei niets aan doen.

'Oké,' zei Kaya en ze keek om zich heen. 'Waar is de zadelkamer?'

Chris ging met haar mee en tien minuten later liep Kaya met Wild Thing naar de bak. 'Deur vrij!' riep ze, maar er bleek niemand te zijn. Heel goed, vond ze, dan had ze ook van niemand last. Maar het nadeel was dat ze dan niet zou zien hoe Wild Thing op andere paarden reageerde. Dat was minder. In het parcours was ze gisteren ook al alleen geweest.

'Wij gaan intussen met een kop koffie in de kantine zitten,' zei mevrouw Waldmann. Kaya knikte. Het maakte haar niets uit.

Zadeldwang had de merrie niet. Dat viel dus al mee. Ze trok de buikriem voorzichtig nog iets aan en Chris hield de stijgbeugel aan de andere kant vast tot ze op de rug van Wild Thing zat.

'Is er nog iets wat ik moet weten?' vroeg ze.

'Nee, alleen maar het gebruikelijke. Eerst een poosje stappen om haar los te maken en op te warmen. Niets bijzonders!'

'Oké!' knikte Kaya tegen hem. 'En wat krijg ik als ze

het absoluut fantastisch doet?' Die zin kwam uit haar mond voordat ze erover na had kunnen denken.

'Wat wil je?' Hij kneep zijn ogen halfdicht en keek haar vragend aan.

Ze wist heel goed wat ze wilde, maar dat kon ze niet zeggen. 'Bedenk maar iets...' zei ze.

'En als je heel slecht rijdt, haar niet aan de teugel krijgt en misschien zelfs van haar rug wordt gegooid, wat dan?'

'Dan mag jij iets wensen!'

Hij knikte. 'Afgesproken!'

'Weet je ook al wat je wenst?' wilde ze nog vlug weten.

'Dat zeg ik je dan wel!'

Ze reed weg en Chris stak zijn hand op en liep de bak uit. Shit, nu was hij slimmer geweest dan zij. 'Dat zeg ik je dan wel' zou zij ook hebben kunnen zeggen.

Ze reed een minuut of tien in stap. Ze wilde vooral geen letsel riskeren. Paarden hadden gevoelige pezen. Ze wilde geen kreupel paard inleveren. Toen pakte ze de teugels op en ging op een draf over.

De merrie voelde zacht aan en had een prettige, schommelende draf. Haar stap was al ruim geweest, maar haar draf was als van een groot paard. Waar haalde ze dat vandaan? De merrie was een werkdier, dat merkte Kaya onmiddellijk. Haar gang was geweldig, zelfs zo, dat ze haar moest afremmen. Maar goed dat de bak zo groot was. Thuis zou ze als een harddraver door de hoeken zijn gestormd. Ze maakte de teugels korter, reed zigzaggend door de bak en was helemaal wég van de merrie. Als je op Wild Thing zat, vond je haar werkelijk de leukste pony van de wereld. Ze was zo bereidwillig dat je meteen verliefd werd. Ook bij het doorzitten was Wild Thing een droompony. En de hulpen voor de galop? Je hoefde er alleen maar aan te dénken en ze galoppeerde al. Kaya was dolenthousiast. Ze bleef voor het grote raam van de kantine staan en liet met haar duimen in de lucht weten wat ze van Wild Thing dacht. Van een afstand spiegelde het raam, maar zo recht ervoor kon ze zien, dat intussen ook meneer Meiling er weer was. De volwassenen zaten aan een grote tafel, dronken koffie en zwaaiden naar haar. Blijkbaar zag het er vanuit de kantine ook goed uit.

Inmiddels had ze genoeg moed verzameld voor moeilijkere oefeningen. Maar ook daarbij leek het wel of de merrie van elastiek was en bij de gestrekte draf was Kaya in de wolken. De draf was heel goed van ruimte en haar schoudervrijheid was onbeschrijflijk.

'Hé, je bent toch een springpony?' zei ze ten slotte tegen de merrie. Ze gaf Wild Thing meer teugel en bedankte haar met een paar woorden en veel aaien voor het geweldige uur.

Chris kwam de bak in. 'En? Wat vind je ervan?' riep hij.

'Fan-tas-tisch!' gaf Kaya ademloos toe. 'Ik ben verliefd op haar geworden! Ze is ongelooflijk, Chris. Ze beweegt zich als een groot paard, zo ritmisch en regelmatig. Geweldig! Ik kan alles nog niet helemaal goed inschatten, daar heb ik niet genoeg ervaring voor, maar wat ik voel, is in elk geval super!'

'Jullie twee zagen er ook fantastisch uit samen!' Chris knikte enthousiast en klopte Wild Thing op haar hals. 'Wacht even, dan zadel ik vlug een pony die ook te koop staat, dan kunnen we nog een halfuur samen naar buiten. Meneer Meiling stelde dat net voor.'

'Dat is echt aardig van hem!'

'Ja, hij is hartstikke tof!'

Ze reden in stap de velden in. Op een heuveltje waagden ze een kleine galop, maar Kaya vond dat Wild Thing al hard genoeg had gewerkt. Daarom gingen ze weer over naar een rustige stap en voor ze het in de gaten hadden, waren ze bij hun blokhut gekomen.

'Ha! Dat komt mooi uit,' zei Chris. 'We maken hun sperriempje los, dan kunnen ze een beetje grazen en wij drinken even iets. Mijn kont doet pijn door die spijkerbroek!'

De voordeursleutel lag weer in de bloempot. Even later kwam Chris de hut uit met twee glazen appelsap.

'Je mag een wens doen,' zei hij en hij drukte haar een glas in haar hand.

Ze zette het snel op tafel en maakte Wild Things zadelriem en sperriempje los. Daarna tilde ze de teugel over het hoofd van de merrie, hield die losjes vast en keek toe, hoe de pony naar de sappigste graspollen zocht.

'En?' vroeg Chris die met Laszlo, een mooie gitzwarte pony, naast haar stond.

'Ik ben nog aan het nadenken,' antwoordde Kaya.

Het was mooi hier! Overal dat volle groen, de fruitbomen, de heuvelachtige weilanden, de kleurige veldbloemen, de vlinders, de gezellige blokhut met de houten tafel en de banken. Haar allerliefste wens was hier te blijven, alleen met hem.

51

'Het is zo mooi hier,' zei ze. 'Het liefst zou ik hier veertien dagen blijven!'

Hij zweeg een poosje. Toen schudde hij zijn hoofd. 'Ik had op iets simpels gehoopt, misschien op een kus. Maar dit...'

Kaya schoot in de lach. 'O, een kus kan ook wel!'

En zo gebeurde het dat ze allebei naast hun pony in de wei achter de blokhut stonden en elkaar weer zoenden.

Toen maakte Laszlo opeens een sprong, trok Chris de teugel uit zijn hand en bleef pas een paar meter verder weer staan. Wild Thing had het wel gemerkt, maar ging onverstoorbaar door met grazen. Kaya zag onmiddellijk wat er aan de hand was. Op de kont van de gitzwarte pony zat een reusachtige daas. Als die vlieg tussen de benen van de arme Laszlo door was gevlogen, was de paniek heel logisch. Alleen hadden ze nu wel een probleem.

Kaya probeerde van een afstandje de daas te verjagen, maar het enige wat ze daarmee bereikte was dat Laszlo opnieuw wegstoof en pas na een meter of tien bleef staan.

'Shit!' riep Chris. 'Hebben wij dat weer!'

Kaya stelde hem gerust. 'Die komt heus wel terug! Heb je iets voor hem in je zak?'

De jongen klopte op de zakken van zijn broek en schudde zijn hoofd.

'Oké. Wacht maar!' Ze drukte hem de teugels van Wild Thing in zijn hand en liep langzaam naar Laszlo toe. De gitzwarte pony stond daar als een standbeeld. Zijn volbloedhoofd hoog, met bungelende teugel, zijn staart omhoog. Hij was van top tot teen klaar om te vluchten.

'Ho, hooo,' zei Kaya zachtjes. 'Blijf maar staan. Bráááf.

Ho ho.' Ze praatte langzaam en geruststellend op hem in en liep ook zo, stap voor stap en met uitgestrekte hand, op hem af.

De pony keek haar aan, maar ontspande zich niet.

'Het komt allemaal goed,' zei ze weer. 'Ho maar, hóóó maar.'

Dit mocht absoluut niet gebeuren, dacht Kaya. De landweg liep tussen de blokhutten en de manege door. Maar ze wist niet of de pony hier al eens was geweest. Misschien zou hij proberen terug te rennen naar zijn stal? Ze móést hem echt te pakken zien te krijgen!

Ze was al bijna bij hem, maar de uitdrukking in zijn ogen beviel haar niet. Pure angst zag ze daarin. Hoe kon een pony zo bang zijn? Ze bleef staan. Misschien deed hij zelf de beslissende stap in haar richting. Ze lokte hem nog steeds met uitgestrekte hand, toen ze plotseling Chris achter zich hoorde.

'Nee!' riep ze, maar het was al te laat. Met een pijlsnelle beweging schoot Laszlo ervandoor. De teugels hingen bijna horizontaal in de lucht, zo hard stormde hij weg. Hij bokte, steigerde en sloeg met zijn hoeven.

'Als hij dat in de wei deed, zou ik het prachtig vinden,' zei Chris. Hij perste even zijn lippen op elkaar. 'Maar hier? Moet ik met Wild Thing erachteraan? Misschien komt hij wel naar háár terug.'

Kaya kreunde zachtjes. Als Chris niet zo ongeduldig was geweest, hadden ze dit probleem nu niet gehad. Maar met deze gedachte schoot ze ook niets op.

'Je kunt het proberen,' zei ze, terwijl ze het sperriempje weer vastmaakte en de zadelriem van Wild Thing voorantrok. Chris pakte de teugels. Over de merrie , ze alleen maar verbaasd zijn. Ze keek Laszlo wel aar toonde geen enkele neiging zich bij hem aan te .n. Chris steeg vlug op en Kaya bedacht nog iets: 'Pas gu.d op haar benen! Ze moet geen schrammen oplopen!' Ze riep het hem na voordat ze erover nadacht, en ze vond dat ze klonk zoals haar moeder.

Chris galoppeerde weg. Kaya keek de twee na. Algauw was Laszlo niet meer dan een zwarte punt tegen de voet van de heuvels en Wild Thing volgde hem. Kaya keek naar de rengalop van de pony. Die was zo snel dat ze moest denken aan een uitrukkende brandweerauto.

Kaya liep naar de houten tafel en liet zich op de bank zakken. Een kus en zijn gevolgen, dacht ze. Dit was iets wat ze nooit zou vergeten. Gisteren had Chris de kus moeten afbreken omdat er een auto kwam, en vandaag omdat er een pony vandoor ging. Zo komen we niet verder, dacht ze sip. Ze dronk het glas, dat nog gevuld op de tafel stond, in één teug leeg. Misschien zorgde het appelsap voor een heldere geest, want dat had ze nu hard nodig. Moest ze Chris' moeder bellen? Maar ze had haar nummer niet. Het nummer van Chris' vader trouwens ook niet. Alleen hun thuisnummer en het nummer van Charlotte. Maar die kon ze maar beter niet bij dit avontuur betrekken.

Zou ze naar de manege bellen? Dan kreeg ze waarschijnlijk meneer Meiling aan de telefoon. Maar als Chris Laszlo zou vangen, hadden ze voor niets alarm geslagen. En dat was achteraf dan alleen maar lastig.

Kaya dronk het tweede glas appelsap leeg. Ze wist gewoon niet wat ze moest doen. En hier suf zitten wachten was het ergste. Had ze maar een fiets, dan had ze achter Chris en de pony's aan kunnen gaan. Maar lopend? Laszlo was in geen velden of wegen meer te bekennen en Wild Thing kon ze op de heuveltop nog heel vaag zien. Maar ze gingen toch niet in galop terug naar de stal? Die lag in een heel andere richting! Of vergiste ze zich?

Ze liep nog een paar keer heen en weer en besloot toen toch meneer Meiling te bellen. Als er echt iets gebeurde, was het onvergeeflijk als ze niet om hulp had gevraagd. Ze zocht in het huis naar een telefoongids en vond ten slotte een versleten exemplaar in een la. Vier jaar oud. Toen bestond de africhtingsmanege waarschijnlijk al, dacht ze en ze begon te bladeren. Maar waar moest ze naar zoeken? Ze wist niet de precieze naam van de manege en de naam van het plaatsje ook al niet. Manege, paardencentrum, africhtingsstal of alleen de naam van de familie van wie de manege was? En bij welk dorp of gehucht hoorde de manege dan?

Ze nam het telefoonboek mee naar buiten. Van Chris geen spoor. Nu werd de zaak serieus. Ze had net besloten de politie te bellen toen haar mobieltje ging. Het was Chris. Hij had haar mobiele nummer.

'Ik heb hem!' riep hij buiten adem.

'Godzijdank! Wat een opluchting!' Kaya slaakte een diepe zucht. Hij was een echte held. 'En er is niets met Laszlo gebeurd?'

'Nee, gelukkig niet. Luister, ik kom nu terug, maar je moet weg daar. Mijn moeder heeft me net gebeld. Ze willen met ons gaan lunchen en ze komen ons bij de manege afhalen.'

'Shit! En jij hebt niets tegen haar gezegd?'

'Natuurlijk niet! Dat was wel het laatste wat ik kon gebruiken!'

Wat een geluk dat ik haar mobiele nummer niet had, dacht Kaya. Anders was er echt paniek ontstaan. 'En nu?'

'Ik heb tegen haar gezegd dat ik met Laszlo nog een stuk gegaloppeerd heb en dat jij Wild Thing spaart en in stap achter me aankomt. Ze vond dat heel verstandig van je!'

Kaya lachte. Nu kwam ze ook nog in een goed blaadje bij Chris' moeder. Helemaal goed!

'Sluit de blokhut af. Leg de sleutel weer in de bloempot en kom me dan maar tegemoet, want ze zou zo voor je neus kunnen staan.'

Geschrokken keek Kaya naar de weg. Ja, als ze eigenlijk op Wild Thing hoorde te zitten, kon ze hier natuurlijk niet zijn.

Fantastisch plan, maar niet heus, dacht ze. Nu kon ze dwars door de weilanden rennen, zonder pony, op rijlaarzen, als een of andere dwaas. En niemand mocht haar zien, anders kwam het hele verhaal alsnog uit.

Ze ruimde op, sloot de hut af en ging op weg naar de heuvel in de verte. Na een poosje lopen merkte ze dat haar laarzen lelijk drukten op sommige plekken op haar voeten. En het maakte het er ook niet gemakkelijker op, dat de weilanden vol kuilen zaten die door het lange gras niet zo opvielen.

Toen ze een auto hoorde, zocht ze een boom waarachter ze zich kon verschuilen. Ze had voor haar gevoel al een behoorlijk eind gelopen, maar toen ze omkeek, zag ze tot haar schrik dat ze vanuit de blokhut nog steeds goed zichtbaar moest zijn. Zij kon in elk geval heel goed zien dat het inderdaad de moeder van Chris was die bij de blokhut was gestopt en nu uit de jeep stapte. Maar goed dat de vrouw geen hond bij zich had, want die was misschien hard blaffend de wei in komen rennen.

Ze wachtte tot Chris' moeder in de blokhut was verdwenen en wilde net verder lopen toen haar mobiel ging. Op het display stond 'onbekende beller'. Dat moest haar zijn, daarvan was Kaya overtuigd. Ze begon in een traag ritme met haar rug langs de schors van de boom te schuren. Met zo'n geluid op de achtergrond leek het hopelijk alsof ze inderdaad op een paard zat. Toen nam ze op. 'Met Kaya.'

'Hoi Kaya, fijn dat je zo snel opneemt!'

Was het te vlug? Voor een ruiter zeker. Wat stom!

'Met Simone Waldmann.'

Aha, Simone dus!

'O, hallo!'

Kaya dacht dat ze er vast stom uitzag, zo schurend over de schors van de appelboom. Ze hoopte dat het geluid op de een of andere manier geloofwaardig overkwam. Ze zorgde ervoor dat ze goed verscholen bleef achter de dikke stam.

'Chris heeft me al verteld dat je Wild Thing wilt sparen. Heel goed! Maar ik hoop dat jullie allebei gauw terug zijn in de manege. Ik heb in ons restaurant van gisteren een tafeltje gereserveerd. Fred zit met meneer Meiling te onderhandelen over de prijs. Hopelijk is er straks iets te vieren!'

Kaya vergat even te schuren.

'Echt waar?'

Ze had zo verrast geklonken dat mevrouw Waldmann in de lach schoot.

'Ja, echt waar! Jullie twee hebben de merrie zo overtuigend gereden dat we vandaag alweer naar huis kunnen!'

'O nee!' flapte Kaya eruit. Ze moest even tegen de boomstam leunen van de schrik. Wat erg, wat zonde, wat jammer! Had ze maar slechter gereden. Waarom had ze ook zo vreselijk haar best gedaan? Ze had alles verpest! Geen avond meer met Chris, niet één meer! Ze had zin om een potje te huilen.

'Ben je niet blij?'

Het moest opvallen dat het zo stil bleef. Kaya begon weer langzaam over de boomstam te schuren.

'Ja! Zeker voor Chris,' zei ze ten slotte naar waarheid, 'maar voor mij niet zo...'

En toen er geen antwoord kwam, voegde ze er vlug aan toe: 'Het is zo mooi hier!'

Toen bleef het aan de andere kant stil.

'Nou ja,' hoorde ze mevrouw Waldmann ten slotte zeggen, 'ik zal eens met Fred praten. Misschien houdt hij het nog uit tot morgen!'

'O, graag, héél graag!' riep Kaya vlug. 'Dat zou ik heel leuk vinden. U wilde vanavond toch nog koken? Gezellig!'

Ze dacht aan wat Chris over de kookkunst van zijn moeder had gezegd, maar dat maakte haar niets meer uit, al zou ze gebraden mieren eten! Ze zouden in elk geval bij elkaar zijn en hadden dan nog een hele avond voor zich.

Ze hoorde mevrouw Waldmann weer lachen, licht, vrolijk. 'Normaal gesproken is niemand blij als ik kook!'

'O, ik heb hele andere dingen gehoord,' fantaseerde Kaya. 'En ik wil u graag helpen!'

'Goed, goed, ik zal kijken wat ik kan doen, maar we zien elkaar sowieso over een halfuur in de manege, afgesproken?'

Kaya knikte, maar dat zag Simone Waldmann natuurlijk niet. Ze gluurde langs de boomstam naar de hut. Daar stond mevrouw Waldmann waarschijnlijk met haar telefoon voor het raam. Kaya zou, bij wijze van spreken, naar haar kunnen zwaaien.

'Afgesproken!' zei ze. Ze verbrak de verbinding en stak haar mobieltje weer in haar zak. Ze bleef verscholen achter de boom tot ze de jeep weer zag wegrijden.

Afgesproken? Een halfuur! Hoe moest ze dat redden? Ze keek naar de heuvel in de verte, waarachter Chris was verdwenen. Daarheen lopen duurde al een halfuur – en ze wist niet hoever hij daarna nog was doorgereden.

Kaya keek nog een keer om naar het huis. Daar was alles weer rustig, zo te zien. Ze hervatte haar moeizame tocht. Ze hoorde of zag gelukkig geen auto's meer in de verte. Maar goed, wie zou er ook geïnteresseerd zijn in een eenzame amazone die zonder paard door een weiland met fruitbomen strompelde en die vanaf de weg gezien steeds kleiner werd?

Haar voetzolen deden ontzettend pijn toen ze Chris eindelijk zag aankomen. Hij zat op Wild Thing en hield Laszlo aan de teugel. Met zijn drieën kwamen ze in stap over de top van de heuvel aanrijden.

'Ha! Ben je daar eindelijk!' riep Chris. 'Ik dacht al dat ik de hele weg alleen terug moest rijden!'

Op dat moment wist Kaya helaas geen gevat antwoord te verzinnen. Ze had zo hard gelopen dat de zweetdruppels op haar neus en voorhoofd stonden. Ze kreeg nauwelijks meer de ene voet voor de andere, ze was doodmoe en nu dit.

'Nou ja, zeg,' zei ze zachtjes en ze bleef staan tot Chris bij haar was. Ze nam de teugels van Laszlo van hem over. Zijn vacht voelde stoppelig aan. De pony moest kletsnat zijn geweest.

'Als we hem zo afleveren weet iedereen onmiddellijk dat hij ervandoor is geweest.' Ze keek naar Wild Thing, die vol ondernemingslust met haar oren speelde. De galop scheen geen bijzondere inspanning voor haar te zijn geweest, op haar vacht was in ieder geval geen opgedroogd zweet te zien.

Chris wist raad. 'Ik ga meteen met Laszlo naar de wasplaats en jij gaat met Wild Thing naar hen toe.'

Hij sprong van zijn merrie en besteeg de gitzwarte pony, die dat niet echt leuk vond. Het was heel duidelijk te zien dat de kleine voortvluchtige doodmoe was.

Kaya besteeg intussen Wild Thing en maakte de veel te lange stijgbeugels korter.

'Je moeder rekent erop dat we zo terug zijn in de manege!'

Chris keek haar met een scheve grijns aan en Kaya vond

hem weer onweerstaanbaar, hoewel ze daarnet nog boos op hem was geweest.

'Mijn moeder heeft zelf nooit een goed gevoel van tijd. Daar wordt mijn vader af en toe helemaal gek van. En ik heb het helaas van haar geërfd!' Hij wierp haar een plagende blik toe en reed weg.

Verdorie, hij weet precies hoe hij overal mee wegkomt, dacht Kaya terwijl ze achter hem aan reed.

Toen ze bij de manege aankwamen, kende Kaya het hele verhaal. Een wild stromende beek had Laszlo tot stilstand gebracht. De pony had zenuwachtig langs de oever heen en weer gedrenteld, maar de sprong over de beek niet durven wagen. De beek had hard geruist en was voor een deel ook met planten overdekt. Dat scheen Laszlo zo griezelig te vinden dat hij zich zelfs afwachtend naar Wild Thing had omgedraaid toen hij haar dichterbij hoorde komen.

'Hij was haar zo dankbaar!' lachte Chris. 'En ondertussen moest ik er goed op letten dat Wild Thing niet over de sloot sprong, want zij vond het geweldig en wilde wel!'

Ze lachten en Kaya klopte de merrie op haar hals. 'Ja, ze is echt geweldig,' zei ze. 'Weet je dat je vader haar op dit moment aan het kopen is?'

Hij keek haar verrast aan.

'Doet hij het?'

'Je moeder zei dat net aan de telefoon.'

Hij knikte, duidelijk onder de indruk. 'Ja, ze zijn het vaak roerend eens!'

Roerend eens, dat kon je zeggen. Als ouders honderdduizend euro voor een pony konden betalen – en zo veel kostte een pony van deze kwaliteit zeker – dan waren ze het natuurlijk eens. Dat moest Kaya haar ouders misschien ook eens leren. Ze schoot in de lach.

'Wat is er?' vroeg hij.

'Staat Laszlo niet als springpony te koop? Nou, dan kan de koper nog veel plezier aan hem beleven!' Chris lachte mee. 'Maar hij is wel heel mooi om te zien! Misschien is dat al genoeg voor de nieuwe eigenaar!'

Chris' moeder stond al buiten voor de manege en keek demonstratief op haar horloge.

'Oké, oké!' riep Chris al van verre. 'Het is mijn schuld!' Zijn moeder kwam hun tegemoet en toen ze Laszlo van dichtbij zag, wierp ze haar zoon een verbaasde blik toe. 'Was hij ervandoor gegaan?' wilde ze weten.

'Zo zou je het kunnen noemen,' knikte Chris. 'Hij is een tamelijk vurige wildebras!'

Simone keek op naar Kaya. 'En jij ziet er ook behoorlijk verfomfaaid uit!'

'Verfom… wat?'

'Een beetje in de kreukels,' zei Chris. Hij glimlachte. 'Maar daar kan ik niets aan doen, dat was haar eigen schuld!'

Ja, helaas, wilde Kaya bijna zeggen, maar ze hield zich in.

Bij het afstijgen kon ze een zachte pijnkreet niet onderdrukken.

'Wat is er?' vroeg Simone Waldmann. 'Heb je ergens pijn?'

Kaya kon nauwelijks staan. Haar voeten brandden zo erg dat ze tranen in haar ogen kreeg van de pijn. 'Mijn laarzen zijn me te klein geworden,' zei ze zachtjes en ze strompelde naast de merrie de stal in. Ze kreeg een por van Wild Thing's hoofd. De merrie was op zoek naar iets lekkers, maar Kaya had niets meer. 'Ik breng je zo nog iets,' beloofde ze, 'en trouwens, je bent vandaag toch al een geluksvogel!'

Een van de stalmeisjes nam de merrie van haar over, wat haar nu heel goed uitkwam, en toen liet ze zich op de eerste de beste stoel zakken.

'Die worden je toch niet binnen een dag te klein! Je hebt nieuwe rijlaarzen nodig.'

Simone stond naast haar en had een laarzenknecht in haar hand.

'En nu doe je die dingen uit!' zei ze. Vastbesloten stak ze tot Kaya's ontzetting haar handen uit naar Kaya's linkerlaars en begon er verwoed aan te trekken. Met veel gezwoeg schoot de laars uiteindelijk van haar voet en na nog meer gezwoeg de rechter. Volledig kapotgelopen sokken kwamen tevoorschijn, waardoorheen dikke, bloedrode blaren gluurden.

'O, lieve kind toch!' riep Simone Waldmann geschrokken. 'Voor jou maak ik straks meteen een voetenbad. En die laarzen kun je niet meer aantrekken. Ze moeten een marteling voor je voeten zijn! Je hebt nieuwe nodig!'

Kaya zei niets. Nieuwe leren rijlaarzen waren heel duur, ze kostten minstens driehonderd euro. Ze was met deze laarzen – die ze tweedehands had gekocht – al dolgelukkig geweest, want tot dan toe had ze alleen maar rubberlaarzen gehad. Hoe kon ze een vrouw die zomaar even een pony kocht die had meegedaan aan de Europese kampioenschappen, duidelijk maken dat haar ouders geen geld hadden voor een paar eenvoudige leren rijlaarzen?

Chris had intussen Laszlo naar de wasplaats gebracht. Hij keek even naar haar voeten en fronste ongelovig zijn wenkbrauwen. 'Heb je náást Wild Thing gelopen, in plaats van op haar rug te klimmen?' Toen grijnsde hij plagend en Kaya gooide hem het eerste wat ze in haar handen kreeg naar zijn hoofd – een harde paardenvijg.

Simone Waldmann schoot in de lach. 'Die had je verdiend! En nu even bedenken hoe we Kaya zonder schoenen in de jeep krijgen.'

'Met een rolstoel?' stelde Chris voor. Hij wreef over zijn voorhoofd.

'Jij bent groot en sterk en zij is klein en tenger. Wat denk je?'

'Dat ze nog moet groeien?'

Simone Waldmann schudde langzaam haar hoofd.

En zo gebeurde het dat Chris Kaya naar de auto moest dragen. Kaya had het gevoel dat ze droomde en onmiddellijk schoot haar het verhaal te binnen, waarin haar vader met zijn jonge bruid in zijn armen over de drempel van de voordeur van hun huis struikelde en in de hal belandde, waardoor de staande houten kapstok omviel en ze allebei onder alle jassen en jacks bedolven werden. Pure romantiek!

Denk aan iets anders, zei ze tegen zichzelf, maar toen

waren ze al bij de auto en Chris liet haar zachtjes langs zijn lichaam op de grond glijden. Dat was bijna nog mooier dan gedragen worden. Nu zou ze haar armen om zijn nek willen slaan en hem zoenen – maar Simone Waldmann hield het portier van de auto open en besloot dat ze dwars op de achterbank moest gaan zitten met haar benen - ook op de bank - voor zich uit. 'We rijden even langs een apotheek en pas dan naar het restaurant. Fred komt later met meneer Meiling, en dat zal zeker nog een poosje duren, voor zover ik mijn man ken.'

Chris stapte voorin naast zijn moeder en wachtte tot ze de auto startte en wegreed. 'Wat doen die twee dan?' vroeg hij schijnheilig.

'Ik denk dat pap wat van de prijs af wil praten.'

Op de achterbank zag Kaya Simones gezicht in de achteruitkijkspiegel. Ze glimlachte ondeugend en leek daardoor nog jonger. Nu wachtte Simone op de reactie van Chris en hij speelde de verraste, maar gelukkige zoon. 'Echt waar? Zo snel?' Hij sloeg een arm om zijn moeders schouders en drukte haar een dikke zoen op haar wang.

Simone lachte. 'Ja, maar dan moet Wild Thing nog gekeurd worden. Want we kopen natuurlijk geen pony die niet van alle kanten bekeken is!'

'Gekeurd worden?' herhaalde Kaya verbaasd.

'Een dierenarts onderzoekt of ze gezond is, keurt de pezen, maakt een röntgenfoto van haar geraamte, dat soort dingen.'

Chris draaide zich naar haar om. Zijn ogen straalden nog meer dan anders. 'En als ze wordt goedgekeurd, dan gaan we er helemaal voor!' Hij gaf Kaya een knipoog en zijn moeder nog eens een dikke kus, tot ze 'Hou op! Niet doen!' riep, omdat ze net de provinciale weg opdraaide.

Had hij 'we' gezegd? Bedoelde hij daarmee zichzelf en Kaya? Of zichzelf en Wild Thing?

'Juich alleen nog niet te vroeg, lieverd,' waarschuwde zijn moeder. 'Papa onderhandelt nog en je weet dat hij heel hard kan zijn!'

'Maar hij onderhandelt altijd pas echt goed, als hij er ook van overtuigd is dat hij iets wil hebben,' zei Chris. 'En overtuigd is hij intussen wel, denk je niet, mam?'

Simone knikte. 'Jullie twee hebben het ook uitstekend gedaan! Bijna professioneel. Zelfs meneer Meiling vond het goed!'

Kaya voelde de blossen via haar hals naar haar wangen kruipen. Ze was geprezen door meneer Meiling, de bondscoach. Zo! Dat was niet niks natuurlijk!

Alleen een zoen van Chris zou nog leuker zijn.

Ze hadden al hun tweede glas appelsap op toen meneer Waldmann eindelijk kwam, maar zonder meneer Meiling. De heren waren het er wel roerend over eens dat de pony geknipt was voor Chris, maar ze waren het nog niet eens over de prijs, legde Chris' vader uit.

'Hij gaat de eigenaar nog een keer bellen, maar hij denkt niet dat die op mijn laatste bod zal ingaan!'

'Hoe zijn jullie uit elkaar gegaan?' vroeg Chris hevig teleurgesteld.

Meneer Waldmann keek even naar Kaya. Het was dui-

66

delijk dat hij erover nadacht wat hij kon zeggen en wat niet. Maar toen was hij verrassend open.

'Zeventigduizend wil hij en ik heb zestig geboden, inclusief de grote keuring.'

'Maar papa! Laat je het op tien zitten?' kreunde Chris.

Mevrouw Waldmann bleef kalm en haalde alleen maar haar schouders op. 'Dan wachten we toch rustig af? Hoe lang heeft hij tijd voor zijn beslissing?'

Kaya keek onwillekeurig naar Chris. Haar hart bonsde weer in haar keel van spanning en opwinding. Hoe zou hij zich wel niet voelen?

'Zodra hij het met de huidige eigenaar heeft besproken.'

'Kunnen we dat niet zelf?' vroeg Chris.

'Nee, ze willen de verkoop via meneer Meiling laten lopen en er verder niets mee te maken hebben.' Meneer Waldmann slaakte een diepe zucht. 'Dat moeten we accepteren, en nog even geduld hebben. Maar dat betekent niet dat we niet vanavond al naar huis kunnen gaan!'

'O néé toch?' flapte Kaya eruit. Ze sloeg geschrokken een hand voor haar mond.

'Nee?' vroeg meneer Waldmann verbaasd. 'Wat moeten we hier nog? Onze missie is voorlopig beëindigd. Alles gaat nu zoals het gaat en als we Wild Thing krijgen, geven we een paardenvervoerbedrijf de opdracht de pony naar ons te brengen. Waarom zouden we hier dan nog langer rondhangen?'

Ze keken haar allemaal aan. Chris ook.

'Het is zo fantastisch hier, zo mooi,' zei Kaya zachtjes. Ze wist zich met haar houding geen raad. 'Ik heb het echt geweldig gevonden!'

Het bleef stil aan tafel en Kaya zag hoe mevrouw Waldmann haar man onder tafel aanstootte. Ze had geen idee
wat dat te betekenen had. Fred Waldmann zei in ieder geval niets meer over het onderwerp, maar riep de ober om
te bestellen.

Het was vroeg in de middag toen ze weer in de blokhut terug waren. Zwarte wolken hadden zich samengepakt boven de heuvels die Laszlo en Wild Thing die ochtend nog bestormd hadden. Het was duidelijk dat de volwassenen alleen wilden zijn en daarom overlegden Chris en Kaya wat ze gingen doen.

'Zwemmen zie ik niet zitten,' zei Chris en hij wees op de donkere wolken die samen met een stevige wind hun kant op kwamen. Kaya had het gevoel dat de eerste dikke druppels niet lang op zich zouden laten wachten en dan zou een groot onweer of gigantische plensbui losbarsten. Maar ze zei: 'Nat is nat!'

Chris lachte. 'We kunnen ook gewoon buiten gaan zitten en onze armen spreiden. Dan kom je op hetzelfde uit!'

Kaya vond het idee niet eens slecht. Ze zouden zich met gespreide armen toch ook naar elkaar toe kunnen draaien, maar ze wist zeker dat Chris in zijn gedachten niet zo ver ging. Buiten gaan zitten met gespreide armen en nat worden, dat was helemaal zijn ding.

'We kunnen een spelletje doen,' stelde ze voor.

'Een spelletje?' Aan de toon waarop hij dat woord verveeld herhaalde, was te horen hoe hij erover dacht. Spelletjes waren voor kinderen.

'Computergames,' zei ze vlug.

'Denk je dat ze in dit gat een internetcafé hebben?' vroeg hij met duidelijk meer belangstelling. Maar toen hij haar aankeek, vervolgde hij spottend: 'Dat geloof je toch zelf niet, hè?'

Nee, dat geloofde ze zelf ook niet.

'Misschien heeft je vader een laptop bij zich?'

Ze vond zichzelf echt goed. Ze bedacht het ene idee na het andere. Dat moest hij haar eerst maar eens nadoen.

'Heeft hij!' bevestigde Chris. 'Maar die mag ik nooit van hem lenen!'

Daarin zijn alle vaders dus hetzelfde, dacht Kaya.

'We kunnen ook een boek lezen!'

'Een boek lezen? Met zijn tweeën? Een nieuwe trend: het boek-voor-twee!'

Dat was wel grappig, maar ze schoot er niets mee op.

'Als we straks toch vertrekken, hoeven we er eigenlijk helemaal niet meer over na te denken,' zei ze ten slotte langzaam.

Chris wees naar de veranda waar Simone en Fred Waldmann aan de houten tafel zaten te praten met een kop koffie voor zich. 'Daar hebben ze het volgens mij juist over!'

Ze leunden tegen het kleine keukenblok en keken allebei naar buiten. De wind speelde met Simones blonde haar, maar daar leek ze geen last van te hebben. Ze zat druk gebarend te praten. Fred Waldmann zat stil naar haar te luisteren. Hij hield zijn hoofd een beetje schuin. Kaya zou verschrikkelijk graag weten wat die twee daar zaten te bespreken.

'We kunnen de tv aanzetten!' Chris wees naar de kleine tv op een tafeltje in een hoek van de kamer. Voor de tv stond een gebloemde bank en een fauteuil met dezelfde bekleding.

'Voetbal?' vroeg Kaya. Ze bedoelde het als een grap, maar Chris knikte ernstig. 'Dat zou tenminste nog iets zijn.' Ze keek hem onderzoekend aan. Ze hoefde het niet te vragen, hij meende dit serieus. Ze stelde zich even voor hoe een leven met Chris eruit zou zien. Zou ze zich uiteindelijk elk weekend ergens zitten vervelen op een voetbalveld, in plaats van naar een of ander spannend concours hippique te gaan? Hij was vijftien. Wie wist wat er na Wild Thing kwam, als hij zeventien was?

Chris stond bij de tv en zocht de afstandsbediening. Daarna plofte hij neer op de bank.

Oké! Dus dat was het dan. Wat een toonbeeld van charme was die jongen toch! Geïrriteerd liep ze haar kamer binnen. Hij mocht gerust merken dat ze dit niet leuk vond.

In haar kleine kamer was het warm. Ze gooide beide ramen wijd open en snoof de frisse lucht op. Van hieruit kon ze de wolken heel goed bekijken, hoe ze zich opstapelden en steeds meer plaats aan de blauwe hemel innamen tot er geen stukje blauw meer te zien was. Ze hield van wolken. Als klein kind al kon ze er uren naar kijken en zag ze er steeds andere dingen in: een draak, een reus, een hondenkop, een heel lelijk gezicht, een bloem. Maar nu zag ze er alleen maar gigantische sneeuwballen in die op elkaar gestapeld waren. Terwijl ze nog over dit beeld nadacht, bracht de wind flarden mee van het gesprek op de veranda.

'Verliefd op hem?' Dat was meneer Waldmann. 'Nou, ze zou een geweldige schoondochter zijn!'

Hadden ze het over haar?

'Doe niet zo raar! Ze is pas dertien, een kind nog!'

Dat was gemeen! Ze was geen kind meer. Ze was een tiener en leek ouder dan de meeste meisjes van haar leeftijd. Toch hield ze haar adem in en spitste ze haar oren. Ze hadden het echt over haar.

'…moeten dat goed in de gaten houden…' Dat was Simone. Maar nu werd de wind steeds heftiger en maakte steeds meer lawaai. De woorden '…pony afjakkeren…' klonken nog boven de wind uit, maar daarna kon ze niets meer verstaan. De eerste regendruppels vielen en even later begon het zo te plenzen dat Chris' ouders opsprongen en de blokhut binnenvluchtten. Kaya deed peinzend het raam dicht en leunde tegen de houten vensterbank.

Pony afjakkeren… Had ze dat echt verstaan? Zou Simone Waldmann bang zijn dat Chris en zij Wild Thing zouden gaan áfjákkeren?

Dat moest ze toch een keer tegen Chris zeggen, al zou die er waarschijnlijk zijn schouders over ophalen en iets roepen als: 'Moeders zijn altijd veel te bezorgd!'

Ze nam zich voor wat koeler te zijn tegen Chris, want als het zelfs zijn ouders begon op te vallen dat ze verliefd op hem was geworden…

Ze pakte het eerste het beste boek dat in haar buurt lag en liep terug naar de kamer. De ouders van Chris stonden

met al het geregel en zij voelde zich enigszins aan haar lot overgelaten. Zou ze haar ouders bellen? Maar wat moest ze dan zeggen? Ik ben zo eenzaam, niemand houdt van me? Of Alexa bellen en haar vertellen dat Chris een nieuwe superpony had gekregen en dat ze tussendoor met Wild Thing dressuur mocht rijden? Ze kon Sina bellen, haar vriendin van school, maar die begreep niets van paarden. Die vond paarden alleen maar groot en onberekenbaar en absoluut niet leuk. Wat zou ze haar moeten vertellen? Dat Chris meer belangstelling had voor zijn pony dan voor haar?

Stom! Haar moeder zei altijd dat champagne je vrolijk maakt, maar zij werd er juist heel terneergeslagen van. Was ze er toch nog te jong voor?

Ze wilde net naar buiten lopen, toen Simone haar tegenhield. 'Kaya, we zouden graag meerijden naar dat onderzoek. Zei jij niet dat je kon koken?'

'Ja hoor,' antwoordde ze.

'Zou jij een grote pan spaghetti met een of andere saus voor vanavond willen klaarmaken? Kun je dat?'

'Natuurlijk,' zei Kaya en ze dwong zichzelf te glimlachen. 'Geen probleem!'

Zo zit het dus! Ik mag als een idioot op rijlaarzen de blaren op mijn voeten rennen en 's avonds ook nog voor iedereen koken, dacht ze verongelijkt. Ik ben hier Assepoester, meer niet!

Kaya kon Alexa opeens goed begrijpen. Zij zou het later ook zo gaan doen, haar middelbare school afmaken en een goede studie kiezen. En dan na het afstuderen een goede baan zoeken en veel geld verdienen...

Ze liep naar buiten en ging op de bank zitten die tegen de wand van de blokhut stond. Prima, dan gingen ze maar en lieten ze haar alleen. Zij zou wel koken!

Ze keek op en zag Chris in de verte tussen de fruitbomen. Hij liep te bellen. Natuurlijk! Nu moest hij al zijn vrienden vertellen dat hij net een pony had gekregen die had meegedaan aan de Europese kampioenschappen. Hij dacht helemaal niet meer aan haar, waarom zou hij ook, en die paar zoenen was hij ook al lang vergeten. Ze werd nog treuriger en had het gevoel dat haar ledematen steeds zwaarder werden. Zelfs denken ging steeds langzamer.

Uiteindelijk ging ze languit op de bank liggen en viel binnen een minuut in slaap.

Toen ze weer wakker werd, vond ze een briefje naast zich op de grond met een steen erop, zodat het niet weg kon waaien. Ze had pijn in haar rug en haar rechterarm sliep, omdat ze erop had gelegen. Ze schudde even met haar arm, haalde diep adem en keek om zich heen.

De avond had nog de milde warmte van de late zomer. De zon stond heel laag aan de hemel, en ze dacht dat ze het gras hoorde ritselen. Maar dat verbeeldde ze zich natuurlijk. Ze ging rechtop zitten en pakte het vel papier.

Lieve Kaya, las ze, *je sliep zo vast dat we je niet wilden wekken. Chris vond het niet eerlijk als we met zijn drieën zouden gaan en uitgerekend jij er niet bij zou zijn. Daar had hij natuurlijk gelijk in. Maar ook hij kon het niet over zijn hart verkrijgen om je uit je diepe slaap te rukken. Dus zijn we toch maar met zijn drieën naar de kliniek gereden, maar ik denk dat je er niets aan mist. Geniet van de middag en als je zin hebt — alleen maar als je zin hebt — zet dan de spaghetti op als je wilt. We denken dat we tegen een uur of acht terug zijn. Lieve groeten van ons alle drie, Simone.*

Acht uur? Het was nu half zes. En Chris had gewild dat ze meeging? Ze zou nooit meer deze slaapverwekkende troep drinken. Chris wilde haar meenemen en zij had op de bank gelegen als een pasgeboren baby. Stond het niet zwart op wit: je sliep zo diep? Ze had vast met open mond en met een raar gezicht liggen slapen, wat natuurlijk geen fijne aanblik was geweest. Mooi hoor!

Woedend op zichzelf stond ze op.

Het duurde dus nog wel even voordat ze terugkwamen. Spaghetti was binnen een minuut of acht klaar. Alles bij elkaar, want ze moest de spaghettisaus natuurlijk ook nog maken en groenten kleinsnijden, dacht ze dat ze aan het koken niet meer dan een klein halfuur kwijt zou zijn. Was er sla? En welke dingen had ze eigenlijk nog meer nodig voor erbij? Als Simone werkelijk zo weinig verstand had van koken, waren er waarschijnlijk alleen maar potten met kant-en-klare spaghettisaus en geen verse uien, champignons of wat ook waar ze de saus nog wat lekkerder mee kon maken.

Ze had zo'n rothumeur dat ze zichzelf nauwelijks herkende. Als ze had gekund was ze meteen naar huis gegaan. Nu zat ze moederziel alleen in deze stomme blokhut, alleen maar omdat ze zich had verslapen.

In de keuken vond ze een grote fles tomatenpuree en twee blikken gepelde tomaten. Ze vond ook kruiden en in een potje op de vensterbank zag ze basilicum staan. Heel goed. Dat was voldoende voor een eenvoudige saus. Sla zou niet slecht zijn, maar er was natuurlijk geen sla. Moest ze paardenbloemen gaan zoeken? De bladeren smaakten een beetje als rucola. Ze zouden het vast niet merken.

Maar ze kon ook naar het dorp gaan. De winkels sloten om zes uur, dus moest ze snel beslissen. Ze had geld en een fiets nodig. Geld had ze. Haar ouders hadden haar twintig euro meegegeven als zakgeld, maar tot nu toe hadden Chris' ouders alles betaald. Nu kon ze iets terugdoen. 'Schiet op!' zei ze tegen zichzelf. 'Ga nou maar!' Ze miste een fiets. Ze liep om de blokhut heen en zag het kleine houten schuurtje dat er enigszins vervallen uitzag. Ze trok de deur open, die verschrikkelijk piepte. De grond in de schuur was van leem en het licht viel binnen door een klein venstergat in de houten wand, maar het was genoeg om te kunnen zien. En ja, ze ontdekte een zwarte fiets die op platte banden tegen de wand stond. Ha! Had ze dat maar eerder ontdekt, dan had ze zich niet zo door de weilanden hoeven haasten in haar te kleine rijlaarzen.

Er lag verschrikkelijk veel rommel in het schuurtje. Kaya nam zich voor niet te griezelen. Ze ging gebukt naar binnen, veegde met haar blote handen een paar spinnenwebben weg en schoof toen de fiets naar buiten. Het was een oude fiets, maar op de banden na leek hij in orde. Op de bagagedrager was een mand vastgegespt. En ze zag zelfs een fietspomp. Ze voelde haar oude ondernemingslust terugkomen. Ze zou nu met grootmoeders stalen ros de wereld veroveren zoals haar voorvaderen het te paard hadden gedaan.

Nadat ze de banden had opgepompt, keek ze op haar horloge. Ze had nog een kwartier de tijd om ergens een supermarkt te vinden. 'Oké Kaya,' zei ze tegen zichzelf, 'zet 'm op!' Ze sloot de blokhut af, legde de sleutel in de bloempot en stapte op de fiets. Ze vond het eigenlijk wel leuk, zo'n oude omafiets met een hoog stuur. Ze reed langs de plek waar ze met Chris had gezoend, maar voelde er op dit moment niets meer bij. Ze fietste zo hard dat de veren onder haar zadel piepten en kreunden. 'Kiewap, kiewap,' klonk het en ze moest erom lachen. Als een indiaan op oorlogspad zou ze geen schijn van kans hebben gehad met zo veel lawaai. Ze leek eerder Hannibal op een olifant, vond ze giechelend.

De weg naar het dorp liep bergaf door de groene weilanden. De manege liet ze aan haar rechterkant. Misschien kan ik daar straks nog even langsgaan, dacht ze. Even kijken bij de beste ruiters. Misschien vond ze ook wel een pony voor zichzelf, een prachtige springpony die niemand meer wilde, omdat hij te moeilijk te berijden was en daarom werd weggegeven. Ze zag zich in gedachten al vechten met een droom van een roodbruine pony, een vos genoemd. Die zou ze met veel liefde voor zich winnen en met hem zou ze ten slotte alle hindernissen ter wereld bedwingen. Ze zouden bij de volgende Europese kampioenschappen tegen Chris en Wild Thing uitkomen en zij zou hen als een koningin feliciteren met hun twééde plaats, terwijl de nationale vlag voor haar en haar pony werd gehesen. In haar enthousiasme over dit visioen reed ze bijna de kleine groentewinkel voorbij. Het was een Turkse winkel. Ze keek naar de uitgestalde groenten en fruit. De bakker links en de slager rechts waren al dicht. Dus ze sloten hier toch al om half zes. Dat was soms vervelend aan het platteland: je wist nooit of je te vroeg kwam of te laat.

Maar voor de groenteman maakte tijd blijkbaar niets uit. Het leek of de man op haar stond te wachten. Ze kocht behalve twee kroppen sla nog wat olijven, gevulde wijn-bladeren, zongedroogde tomaten en een stukje schapen-kaas in olijfolie. Het water liep haar in de mond en nadat ze had afgerekend viste ze meteen een wijnblad uit de plastic bak waarin de Turk ze had verpakt. Het wijnblad droop van de olie. Ze beet erin. De combinatie met de rijstvulling vond ze heerlijk. Ze stond naast haar fiets en genoot van elke hap. Het was alsof ze een schouderklopje kreeg voor haar inspanningen, iets wat ze eerder gemist had toen ze zo laat wakker werd. Nadat ze haar vingertoppen genietend had afgelikt, stopte ze haar boodschappen netjes in de mand op de bagagedrager en sprong weer op de fiets.

Het leven is heerlijk, dacht ze. Het gaat goed met me en ik weet één ding zeker: ik wil fantastisch kunnen paard-rijden. Hoe dan ook gaat me dat lukken.

Met dat gevoel fietste ze terug. Ze zag elke stijging van de weg als een uitdaging. En ze zei tegen haar voeten – die weer branderig begonnen te voelen – dat je bij elk doel dat je wilde bereiken, tegenslagen tegenkwam. Ze dacht erover na welke tegenslag op dit moment voor haar de grootste was. En ze was het roerend met zichzelf eens dat bij deze stijging van de weg een hulpmotortje op de fiets toch wel fijn was geweest.

Toen ze eindelijk boven bij de manege afstapte, stond het zweet in dikke druppels op haar voorhoofd en neus en had ze een verschrikkelijke dorst. Wat was de weg vol hobbels en kuilen. In de auto viel dat minder op. Ze zou eerst iets te drinken kopen en dan een poosje rondkijken in de stallen.

De fiets met alle lekkere dingen in de mand zette ze een beetje achteraf, achter een hal waarin de paarden werden gelongeerd. Ze was van plan vanavond een supermaaltijd op tafel te toveren en daarom wilde ze geen enkel risico lopen dat iemand de spullen uit de mand zou halen. Ook op het platteland kwamen mensen met lange vingers voor, daar was ze van overtuigd.

Vrolijk liep ze het grote gebouw binnen, waarin de reusachtige binnenbak zich bevond met aansluitend de stallen. Weer hoorde ze het oorverdovende gekwetter van de vogels. Fantastisch! Was de broedtijd niet al lang voorbij? Of broedden vogels tweemaal per jaar? Dat moest ze een keer aan haar biologieleraar vragen als de school weer was begonnen, maar ze kon het natuurlijk ook googelen. Zwaluwen broedden meerdere malen per jaar, dat wist ze wel.

Ze zag vier paarden in de grote bak. Eén paard stak op dat moment diagonaal over in gestrekte draf. Ongelooflijk, die afstand per pas. Zo groot en zo zwaar als ze waren, draafden paarden vaak zo licht, dat het leek of ze de grond nauwelijks raakten. Kaya keek ernaar en genoot ervan. Het was geweldig om te zien, al kreeg ze het met Dreamy niet voor elkaar. Maar dat was er ook het paardje niet naar. 'Nu niet aan denken, Kaya,' mompelde ze. 'Je wilt later dolgraag een eigen paard en dat gaat je lukken ook. Let maar op!'

Met deze zekerheid liep ze door naar de stallen, toen ze onderweg een kraan boven een lage witte wasbak in de gang tegenkwam. Ze draaide de kraan open, hield haar handen als een kommetje eronder en dronk gulzig. Dit deed ze een paar keer. Toen draaide ze de kraan weer dicht. Voldaan veegde ze met de rug van haar hand haar mond af. Haar ergste dorst was gelest!

De boxen in de stallen waren ruim, en voorzien van een dikke laag stro. Elke box had een groot raam. De namen van de paarden stonden netjes op bordjes boven de box. Eronder stond de afstamming van de boxbewoner tot dat moment. Kaya keek er even naar, maar ze begreep er niet veel van. Maakt niets uit, dacht ze, ik ben pas dertien, ik heb nog tijd genoeg.

Zigzaggend liep ze door de stal en bekeek elk paard en zijn of haar naam: Fairy, Angel, Danger, Hurricane, Highlight, Lucky Lady, Feeling, Florian, Dancer, Dentano, Nick, Ta Karou, El Matador – er kwam geen einde aan. Er hingen ook borden aan de muur, waarop namen van paarden met krijt geschreven stonden. Aha. Dat waren vast paarden die afgericht werden of die te koop waren. Met een beetje geluk vond ze vast de pony waarvan ze net nog had gedroomd.

Ze grijnsde om zichzelf. Misschien had ze toch iets te veel fantasie, hoewel haar leraar haar opstellen niet geweldig vond. 'Thema ontbreekt', of 'zijn doel voorbijgeschoten' stond regelmatig in boos rood eronder. En de cijfers die ze ervoor kreeg waren op zijn zachtst gezegd deprimerend.

Ze stond nu voor Gardeur, een elegante vos met blauwe ogen. Dat vond ze raar en daarom keek ze nog eens en nog eens. Vergiste ze zich niet?

Opeens leek het of ze iets of iemand hoorde snikken, maar ze wist niet zeker of ze het goed had gehoord. Ze was hier toch helemaal alleen? Ze had verder geen mens gezien. Maar toch… daar hoorde ze het weer. Een mens of een dier snoof en snikte. Ze hield haar adem in. Droomde ze? Het was toch niet het paard voor haar, dat zou een wonder zijn. Een huilend paard! En zij was Mrs. Doolittle. Het ontbrak er nog maar aan dat het paard haar vertelde waarom het huilde.

Maar even serieus, dacht ze. Waar komt dat gesnik vandaan?

Ze keek om zich heen, zag de lege stalgang en toen viel haar iets op. Een van de boxdeuren was maar half dichtgeschoven. Aarzelend liep ze erheen. Ze probeerde geen geluid te maken. En ja, het gesnik klonk harder naarmate ze dichter bij de half opengeschoven boxdeur kwam. Ze aarzelde even en moest uitgerekend op dat moment niesen. Ja hoor, dat had zij weer! Drie keer achter elkaar.

Het snikken hield onmiddellijk op. Kaya bleef als aan de grond genageld staan. Er gebeurde niets en ze wilde zich alweer omdraaien, toen een meisjeshoofd door de halfopen deur verscheen.

De twee keken elkaar aan. Niemand zei een woord.

Maar Kaya zag de rood behuilde ogen met de uitgelopen mascara eronder. Ze schatte het meisje iets ouder dan zij. Misschien was ze van Alexa's leeftijd, zeventien. Ze trok nu haar hoofd weer terug en Kaya keek naar de lege halve deuropening. Ze deed een stap naar voren en nog een en toen kon ze in de box naar binnen kijken. Het meisje stond tegen de houten wand geleund en veegde met de rug van haar hand langs haar neus.

'Ik heb een papieren zakdoek als je wilt,' zei Kaya zachtjes. Ze had zo mee kunnen huilen.

Het meisje knikte.

Haar donkerbruine haar viel golvend over haar schouders. Ze had hazelnootbruine ogen. Ze had een jeans aan, geen rijbroek.

Kaya trok een behoorlijk verkreukt papieren zakdoekje uit de zak van haar broek en gaf het aan het meisje. Dat wreef met de zakdoek over haar ogen, waardoor ze het alleen maar erger maakte.

Ten slotte stak ze de zakdoek in haar broekzak en keek Kaya aan. 'Ik heet Nicole,' zei ze.

'Kaya.'

Het was weer stil.

'Als ik je verder nog ergens mee kan helpen?' vroeg Kaya voorzichtig.

Eerst kwam er geen antwoord, maar toen barstte het meisje opnieuw in huilen uit. Ze draaide zich snikkend om, legde haar armen tegen de houten tussenwand van de box en leunde met haar hoofd op haar armen. Kaya zag dit even aan, maar toen hield ze het niet meer uit. Ze kon niet anders dan naar Nicole toe lopen en een hand op haar rug leggen.

'Mijn pony is weg!' hoorde ze tussen de snikken door.

'Wat zeg je? Is je pony weg?' Kaya streek troostend over de rug van Nicole. Het meisje was iets groter en breder dan zij en door het T-shirt heen kon ze goed de aangespannen spieren voelen. 'Waarheen?'

Nu draaide Nicole zich om en liet zich met de rug tegen de houten wand op haar hurken zakken. Kaya hurkte naast haar neer.

'Weggelopen?'

Nicole schudde haar hoofd. 'Mijn vader heeft haar verkocht,' zei ze. 'Mijn vader heeft haar verkocht en nu is ze al weg. Wég. Ik heb haar niet eens meer gezien! En ik weet niet aan wie ze verkocht is.'

'Hè? Je weet niet aan wie? Als je vader je pony verkoopt moet hij toch de nieuwe eigenaar kennen?'

'Meneer Meiling heeft haar voor ons verkocht, en die zei dat de nieuwe eigenaar geen belangstelling had voor de vorige. Hij hoefde niets van hem te weten. Hij wilde alleen maar de pony!'

Kaya keek haar ongelovig aan. 'Bestaan er zulke kopers?' vroeg ze zich verbaasd af. 'Wat zijn dat voor mensen?'

Nicole ging nu in het stro zitten en sloeg haar armen om haar opgetrokken knieën heen. Ze zweeg een poosje. Kaya liet zich ook in het stro zakken.

'Als ik dat wist,' zei Nicole, 'maar ik weet het gewoon niet! En nu is ze weg en ik heb niet eens afscheid kunnen nemen. Ik weet niet waar ze heengaat, ik weet niet hoe het met haar gaat, of er daar iemand is die van haar gaat houden…'

Ze begon opnieuw te huilen en Kaya voelde de tranen in haar ogen springen. Dit was echt verschrikkelijk. Als ze er alleen al aan dacht…

'Maar waarom verkoopt je vader aan zulke mensen? Zo iemand gun je toch geen dier!' zei ze ten slotte en ze dacht: als ik zo'n vader had, zou ik hem wel eens even iets anders vertellen.

'Maar dat heeft hij toch ook niet geweten? Het ging zo vlug. Vanmiddag belde meneer Meiling en die zei dat hij de pony had verkocht en dat ze meteen wegging.' Ze haalde haar papieren zakdoek weer tevoorschijn. 'En ik was dus te laat! Ze hadden haar naambordje al van de box gehaald en ook meegenomen, hoorde ik van een staljongen!'

Kaya rekte haar nek.

'Wacht eens even.' Ze knipperde haar tranen weg en dacht na, terwijl ze met de rug van haar hand driftig langs haar neus veegde. 'Voor hoeveel hebben jullie de pony verkocht?'

'Voor hoeveel? Mijn vader wilde zestig en hij heeft er vijftig voor gekregen.'

'Duizend?' vroeg Kaya.

Nicole knikte.

'O,' zei Kaya. 'Jammer.'

'Hoezo?' wilde Nicole weten.

'Omdat vrienden van mij vandaag een pony voor vijfenzestig hebben gekocht.'

Nicole knikte langzaam. 'Nee, die kan het niet zijn. Dat wilden wij oorspronkelijk ook, eigenlijk zelfs zeventigduizend euro, maar meneer Meiling zei dat Wild Thing dat niet meer waard was.'

'Wild Thing?' Kaya keek Nicole met grote ogen aan.

Nicole knikte. 'Ze heeft een hoefkatrol-ontsteking gehad en toen heeft de dierenarts haar geopereerd, waardoor haar waarde natuurlijk zakte! Maar waarom vroeg je "Wild Thing"?' Nicole kneep haar ogen dicht. 'Ken je haar misschien?'

'Ik word gek!' Kaya sloeg tegen haar voorhoofd. 'Voor hoeveel, zeg je? Dit kan niet waar zijn!'

Nicole keek haar aan. Haar gezicht was één groot vraagteken. 'Ik begrijp er niks meer van!'

'En ik begin net alles te begrijpen!'

'Leg het me dan alsjeblieft uit!'

'Is dit de box van Wild Thing?'

Nicole knikte.

'En jij hebt haar gereden? Heb jij meegedaan aan de Europese kampioenschappen met haar? Jullie hebben prijzen gewonnen en jij bent net zeventien geworden?'

Nicole knikte weer.

Kaya stak haar hand in de lucht. 'Geef me een high five! Wat een verrassing! Kom mee, ik weet waar je pony is! En ik breng je naar de nieuwe eigenaars. Die zullen jouw bezoek fantastisch vinden, dat weet ik zeker!'

Nicole sloeg haar hand tegen die van Kaya. 'Meen je dat?' vroeg ze aarzelend.

'Ja! Het beste is als je nu onmiddellijk je vader belt! Die moet er ook bij zijn!'

'Waarom? En waar moet hij heen?'

'Dat zeg ik je zo.'

'En waarom?'

'Omdat we de helden van de dag zijn!'

Nicole dekte de tafel, terwijl Kaya achter het fornuis stond en in twee pannen tegelijk roerde, een grote pan met spaghetti en een kleinere met saus.

'Ik kan het gewoon niet geloven. Dat mag hij toch helemaal niet doen,' zei Nicole telkens weer. 'En ik heb hem de hele tijd vertrouwd!'

'De macht van het geld!' Kaya draaide zich naar haar om en probeerde een cynisch glimlachje. 'Het is overal hetzelfde, toch? Als het om het grote geld gaat, nemen mensen het soms niet zo nauw met eerlijkheid!' Dat was een uitspraak van haar moeder die ze niet meer kon hóren, maar nu kwam hij heel goed van pas.

'Je hebt wel gelijk!' Nicole keek om zich heen. 'Zijn er papieren servetten?'

'Geen idee. Zit er een la in de tafel? Dan liggen ze misschien daarin.'

En inderdaad vond Nicole een aangebroken pak roze papieren servetjes met rozen erop. Blijkbaar was dit pak achtergelaten door de vorige bewoners van de hut.

'Prachtig!' Kaya verdeelde de voorgerechtjes van de Turkse groenteman over een paar schaaltjes. Ze zette wijnglazen bij de borden en vond ook nog twee kandelaars met kaarsen erin. Die zette ze op tafel en ze stak de kaarsen meteen aan. Toen wierp ze een kritische blik op de tafel en was tevreden.

'Wat vind je?' vroeg ze aan Nicole, die haar op de een of andere manier erg aan Alexa deed denken.

'Werk je misschien in een restaurant of zo?' wilde Nicole weten. 'Je doet alles alsof je het al jaren doet!'

'Dank je!' Kaya zocht naar een goed antwoord, maar achter haar rug kookte de spaghetti over. Ze draaide zich vlug om. Het water liep sissend over het fornuis.

Simone Waldmann kwam als eerste binnen en bleef stokstijf in de deuropening staan, zodat haar man tegen haar op botste. 'Lieve help!' riep ze, terwijl ze naar de gedekte tafel keek. 'Kunnen we je adopteren, Kaya?'

Kaya schoot in de lach en zei toen: 'Dit is Nicole. Ze heeft me geholpen!'

'Zo, we hebben bezoek.' Simone kwam naar binnen,

zodat ook haar man en Chris binnen konden komen. Ze gaf Nicole een hand. 'Mooi! Waar hebben jullie elkaar leren kennen?'

'Dat vertel ik zo,' zei Kaya. 'Veel belangrijker is: hoe ging het in de kliniek?' Daarbij keek ze naar Chris, die Nicole een hand gaf. Als ze nu zijn type bleek te zijn, zou ze helemaal níéts vertellen, nam ze zich voor. Maar Chris was veel te opgewonden om met Nicole zelfs maar een praatje te maken.

'Ze is met een tien door de keuring gekomen,' zei hij tegen Kaya en hij gaf haar een plaagstootje tegen haar bovenarm. 'Ze is topfit, geweldig! Ze is met het beste cijfer uit het onderzoek gekomen.'

'De dierenarts is een bedrieger!' zei Nicole.

Behalve Kaya keek iedereen haar stomverbaasd aan.

'Een bedrieger?' echode Chris onwillig. 'Wat bedoel je daarmee?'

'Daar bedoel ik mee dat Wild Thing een zenuwsnede heeft, rechts voor. Die is gemaakt na een hoefkatrol-ontsteking en de dierenarts weet dat heel goed. Maar als je als dierenarts verbonden bent aan een manege en de dokter bent van zo veel paarden, moet je wel eens compromissen sluiten.'

'Wat bedoel je?' Nu was ook Fred Waldmann een en al oor. 'Wat houdt dat in?'

Nicole wees naar het raam. 'Daar komt mijn vader net aan. Hij kan u alles precies uitleggen!'

Op dat moment viel het Simone Waldmann pas op dat er voor zes personen was gedekt.

Kaya was bezig de spaghetti uit het water te scheppen. Hij was nog niet gaar. 'Maar ik zet hem straks nog wel even op,' legde ze uit. 'Anders wordt het pap.' Niemand dacht nu aan eten. Ze zaten aan tafel, dronken wijn, aten van de voorafjes en konden nauwelijks geloven wat ze van elkaar te horen kregen.

'Tegen ons zei hij dat de eigenaar niet onder de vijfenzestig wilde zakken, dat was zijn laatste bod.'

'En tegen ons, dat je haar met een zenuwsnede niet kon aanbieden boven de vijftigduizend, dat zou niet eerlijk zijn en niet goed voor de marktsituatie, als het al niet regelrecht immoreel was.'

'Immoreel! Ha!' Simone nam een slokje wijn. 'We wilden de eigenaar leren kennen, omdat we ook de pony beter wilden leren kennen. Je wilt het allemaal goed doen. Voer, verzorging, allergieën, wat dan ook. Hij zei dat de eigenaar niets met de kopers te maken wilde hebben!'

Nicole knikte bitter. 'En bij ons werd gezegd dat de kopers niet geïnteresseerd waren in contact. De pony zou toch naar het buitenland gaan!'

'En daartussen liggen precies vijftienduizend zwarte euro's in plaats van de gebruikelijke provisie. Wat een rotvent!' Nicoles vader was woedend. Hij was veel krachtiger van postuur dan Fred Waldmann. Met zijn forse bovenlijf, zijn brede schouders en de gespierde bovenarmen deed hij aan een voormalige prijsbokser denken. 'Het is beter dat Meiling de komende tijd niet te dicht in mijn buurt komt!'

Fred Waldmann keek hem aan. 'Ja, dat kan ik me voorstellen,' zei hij, waarna hij even aarzelde en er toen een langgerekt 'hoewèèèl...' aan toevoegde.

'Ja, dat klopt!' Simone keek van de ene man naar de andere. 'Jullie gaan er morgen samen heen en confronteren hem met dit verhaal. Meiling heeft als bondscoach natuurlijk een voorbeeldfunctie. Mooi voorbeeld, trouwens. Nu gaat het er in de ruitersport hetzelfde aan toe als in de politiek!'

Haar man moest lachen. 'Alleen zijn wij slimmer geweest!' zei hij.

'Wat bedoel je met *wij*?' Chris fronste zijn wenkbrauwen. 'Zonder Kaya zou je je vijfenzestigduizend euro hebben betaald en meneer Reisser had zijn vijftigduizend gekregen en er had nooit meer een haan naar gekraaid.'

'Dat is waar!'

Iedereen keek naar Kaya, die op haar krukje steeds kleiner werd. Ze moest dringend de spaghetti weer in het water laten zakken, anders werd hij te koud. Of zou ze liever maar een nieuwe hoeveelheid klaarmaken? Was dat niet zonde?

Ze keken haar nog steeds aan.

'Hoe doen we dat nu?' vroeg de vader van Chris aan de vader van Nicole. 'Betaal ik vijfenzestigduizend of vijftigduizend?'

Meneer Reisser keek naar Nicole. 'Wild Thing heeft een zenuwsnede. Daar moet u aan denken.'

'Ja, we weten het nu,' antwoordde Fred Waldmann. 'En ik ken een paar paarden die met een zenuwsnede nog vrolijk door de omgeving draven.' Hij keek zijn vrouw aan en toen Chris en toen weer zijn vrouw. 'Verandert dit iets aan ons besluit?'

Tegelijk schudden ze hun hoofd.

'Mag Nicole Wild Thing af en toe komen opzoeken?' wilde meneer Reisser weten. Dat bezorgde hem een liefdevolle blik van zijn dochter.

'Ze mag haar zelfs rijden,' zei Chris grijnzend.

Au! dacht Kaya.

'Ze is tenslotte niet bepaald een beginneling!' voegde Chris er nog aan toe. Nu kreeg ook hij een liefdevolle blik van Nicole.

Kaya haalde diep adem.

'Maar uiteraard alleen maar als Kaya het daar ook mee eens is!' Nu kreeg zij een tedere blik. En wel van Chris. Onmiddellijk kleurden haar wangen vuurrood en ze was graag ter plekke door de grond gezakt.

'Natuurlijk vind ik dat goed!' zei ze vlug.

Weer keken ze allemaal naar haar en ze zou dolgraag naar de pan spaghetti zijn gevlucht.

'We kunnen het verschil delen, dan heeft iedereen er iets aan,' stelde Fred Waldmann voor.

'Dat zou dan zevenenvijftigduizendvijfhonderd euro worden,' rekende meneer Reisser hardop uit.

'Kunnen we misschien niet eerst iets eten?' Simone Waldmann wees naar Kaya. 'Ze heeft zich zo uitgesloofd en als we nog lang doorpraten wordt het er niet lekkerder op. Dat zou toch zonde zijn?'

Kaya en Nicole sprongen tegelijk op en toen ze bij het fornuis stonden, gaf Nicole Kaya een dikke kus op haar wang.

'Dit vergeet ik nooit,' zei ze. 'Je hebt mijn leven gered. Ik weet niet wat ik had gedaan, als Wild Thing werkelijk verdwenen was. Hartstikke bedankt!'

Ze waren allebei ontroerd, en omhelsden elkaar maar stevig om dat te verbergen. Toen ze zich van elkaar losmaakten, viel Kaya's blik op Simone Waldmann die hen met een warme uitdrukking in haar ogen had zitten bekijken. Toen zei ze zachtjes iets tegen haar man, die daarop nadenkend knikte.

Kaya kon er geen wijs uit worden. Ze dacht er ook niet verder over na, maar warmde de afgekoelde tomatensaus nog een keer op, liet de spaghetti opnieuw in het kokende water glijden en bleef bij het fornuis staan om te wachten tot ze kon proeven of de spaghetti *al dente* was.

Ze was dolgelukkig met deze wending van het lot. Was ze niet de stal binnengegaan, had ze Nicole nooit gevonden en dan was alles totaal anders gelopen.

Haar moeder beweerde dat vaak, als je in de problemen zit en doodongelukkig bent en geen manier meer ziet om eruit te komen, er plotseling dingen gebeuren die alles in een volledig nieuw daglicht zetten. Op school had dat tot nu toe nog nooit gewerkt. Met Chris evenmin, maar misschien was ze nu in een stadium gekomen waarin zoiets mogelijk werd? Wie weet. Ze luisterde naar haar eigen gedachten, viste daarbij een sliert spaghetti uit de pan om te proeven en voelde zich opeens heel volwassen.

Intussen waren alle schotels en schalen leeggemaakt, de olijven waren op en zelfs het brood voor morgen was opgegeten. De derde fles rode wijn was al opengemaakt, Meneer

Reisser en de familie Waldmann zeiden intussen al jij en jou tegen elkaar en Chris, Nicole en Kaya vonden het jammer dat ze 's avonds niet naar een disco konden. Dat was een prachtige bekroning geweest van deze dag, maar in een gat als dit was er natuurlijk geen disco.

Fred Waldmann tikte met zijn trouwring plotseling tegen zijn wijnglas. Iedereen keek hem aan en hield op met praten. Even bleef het stil. Toen stond hij op, keek iedereen beurtelings aan en zijn blik bleef ten slotte op Kaya rusten die weer heel klein werd en niet wist waar ze moest kijken.

'Lieve Kaya,' begon hij, 'ik moet zeggen dat je ons geluk hebt gebracht!' Kaya voelde dat ze weer vuurrode wangen kreeg. 'Niet alleen kun je goed paardrijden,' ging hij door, 'en neem je onze zoon in bescherming als hij gekke dingen doet...' Hij keek Chris strak aan, maar die grijnsde alleen maar vrolijk, 'maar jij bent ook een heel bijzonder meisje, dat bovendien óók nog heerlijk kookt!' Nu keek hij Simone aan. 'Als je ouder was,' ging hij verder, 'zou ik je graag als schoondochter willen hebben!'

Kaya werd nog kleiner en keek vlug naar Chris. Die grijnsde nog steeds.

'Maar je bent dertien, je wilt de wereld nog ontdekken en bent daarbij voorzichtig, dapper en zelfbewust. Bravo!'

'Bravo!' zei ook meneer Reisser.

'En omdat dat zo is, heb je een bedrog aan mens en dier blootgelegd en dat niet alleen, je hebt het bedrog zelfs verhinderd. Daarvoor komt je een onderscheiding toe!'

'Vind ik ook!' zei Nicole.

'Omdat we echter geen onderscheidingen te vergeven hebben en je misschien iets anders veel harder nodig hebt,

hebben Simone en ik het volgende besloten, ervan uit-
gaande dat Wolfgang er ook voor is.'

'Ik ben ervoor!' riep meneer Reisser prompt.

Weer viel er een korte stilte. Kaya voelde hoe een he-
leboel haartjes op haar armen en in haar nek van opwinding rechtop gingen staan. Wat kwam er nu?

'Goed! Omdat Wolfgang er ook voor is, ben ik van me-
ning dat we elkaar met de verkoopprijs halverwege ont-
moeten en allebei tien procent van de winst aan jou geven.
Dus dat ik meneer Reisser voor Wild Thing zevenenvijftigduizendvijfhonderd euro zal betalen, maar dat wij je daarnaast allebei een provisie van vijftienhonderd euro zullen
geven. Want zonder jou zouden we er allebei veel slechter afgekomen zijn!'

'Uitstekend idee,' vond meneer Reisser en iedereen
knikte. Alleen Kaya begreep er niets van. Hulpeloos keek
ze Chris aan. 'Wat?' vroeg ze zachtjes.

Hij lachte hardop, stond op, liep om de tafel heen, trok
haar van haar stoel omhoog en sloeg zijn armen om haar
heen.

'Ik geloof dat je net drieduizend euro hebt gekregen,'
zei hij en hij drukte onder applaus van de anderen een
zoen op haar wang. 'En die heb je verdiend ook.'

Toen hij haar weer losliet, zonk Kaya half verdoofd op
haar krukje neer.

'Drieduizend euro?' herhaalde ze. 'Maar waarom dan?'

'Omdat je het verdiend hebt,' zei Simone glimlachend.
Ze stond op om haar ook te omhelzen. 'En omdat je nieuwe rijlaarzen nodig hebt! En misschien spaar je voor een
eigen pony?'

Een eigen pony? Ze zag zich met de fiets de berg af suizen. Had ze het zichzelf niet bezworen? Dat was pas een paar uur geleden geweest en nu was het begin er al!

'Heel, heel hartelijk bedankt!' jubelde ze, terwijl ze met de rug van haar hand langs haar neus veegde. 'Ik weet niet wat ik moet zeggen.' Ze keek naar alle vrolijke, blije gezichten en schudde toen haar hoofd. 'Het spijt me, ik weet gewoon echt niet wat ik moet zeggen!'

'Wat dacht je van: HAPPY END?' riep Chris met een knipoog naar haar.

Lees ook

Kaya is dertien en gek op paarden. Dag en nacht is ze in de manege te vinden. Haar eerste belangrijke wedstrijd rijdt ze op Dreamy, een al wat oudere manegepony die ze van de eigenaresse mag berijden zo vaak ze maar wil. Tot ieders verrassing wordt ze derde. Maar door dit succes wil de eigenaresse Dreamy opeens verkopen, en dreigt Kaya haar lievelingspony kwijt te raken. Dat mag niet gebeuren, want wat moet Kaya nou zonder Dreamy? Samen met haar vriendinnen verzint ze een plan…